LE NOUVEL ENTRAÎNE

révisions

niveau avancé

450

nouveaux
exercices

Célyne HUET

Sandrine VIDAL

CLE

INTERNATIONAL

Direction éditoriale
Michèle Grandmangin

Responsable de projet
Édition multi-supports
Pierre Carpentier

Assistante d'édition
Anne-Florence Buys

Conception graphique/Mise en page
DESK

AVANT-PROPOS

Ce livre de Révisions, de la collection *Le Nouvel Entraînez-vous*, est conçu pour un public de **niveau avancé** en français langue étrangère. Il s'adresse tout particulièrement aux apprenants désireux de vérifier leurs acquis ou en situation de préparation à une certification en langue française.

L'objectif de l'entraînement est d'amener l'apprenant à maîtriser les compétences de communication indispensables aux **niveaux A5 et A6 du DELF** et au **niveau B2 du cadre européen commun de référence**.

L'entraînement est structuré en **onze dossiers thématiques** chacun identifié par un titre permettant de cibler le thème général abordé. Chaque dossier est ensuite découpé en plusieurs parties qui représentent des **objectifs communicatifs** précis.

L'organisation de l'ouvrage vise à aider l'apprenant à développer des **compétences linguistiques** et **communicatives** autour d'un thème lexical spécifique. Le lexique est abordé dans les exercices de **vocabulaire** mais est aussi repris dans les exercices ayant trait à la **grammaire**, l'**orthographe**, la **conjugaison** et la **prononciation**, permettant ainsi un renforcement de la mémorisation. Cette organisation répond à une conception pédagogique qui, à chaque énoncé, veut apporter à l'apprenant une réflexion sur le **plan syntaxique** tout comme sur le **plan sémantique**.

Les **activités** proposées sont **variées** et exploitent des typologies d'exercices connues des apprenants : exercices de réécriture, de mise en relation, de remise en ordre, QCM… Chaque exercice est introduit par une **consigne explicite** accompagnée d'un exemple.

Cet ouvrage permet de travailler **en classe** sur le renforcement de faits de langue particuliers. Il peut ainsi servir d'outil complémentaire à une méthode et aider à l'assimilation des notions étudiées en classe. Par ailleurs, afin de faciliter l'entraînement des étudiants en situation d'**auto-apprentissage**, les corrigés des exercices peuvent être consultés à partir d'un livret placé à l'intérieur du livre.

Le **livret de corrigés** comprend également la **transcription des enregistrements** figurant sur le **CD audio** qui accompagne cet ouvrage.

SOMMAIRE

I. LA SOCIÉTÉ DES SPECTACLES

A. LES SPECTACLES

1 *À chacun son spectacle.* **Complétez les phrases à l'aide des mots proposés :** *cirque, son et lumière, ballets, pièce, concerts, opéra, comédies musicales, spectacles, comiques.*

> *Exemple :* – Vous sortez souvent ? – Oui, j'adore les ***spectacles***.
> – Et que préférez-vous ?

a. J'adore la danse alors je vais souvent voir des ....

b. Moi, je préfère le chant, j'ai une passion pour l'..................

c. J'aime les spectacles chantés et dansés. Ce sont les .... que je préfère !

d. En ce qui me concerne, c'est le .... qui m'attire. La piste, le chapiteau, les animaux, les clowns, c'est magique !

e. Moi, j'aime la musique et seulement la musique. J'assiste à des .... plusieurs fois par mois.

f. Pour moi, sortir c'est s'amuser et rire. Je choisis uniquement les spectacles .... avec des humoristes.

g. Le théâtre, c'est ce qu'il y a de mieux mais il faut que la .... soit bien mise en scène et bien interprétée.

h. Mon meilleur souvenir de spectacle, c'est un .... dans un château. C'était fabuleux et magique.

2 *Lieux de spectacle.* **Notez si le lieu concerne les acteurs (A) ou les spectateurs (S).**

> *Exemple :* Dans la salle (**S**)

a. Sur la scène ( )

b. Au premier rang ( )

c. Dans les coulisses ( )

d. Dans leur loge ( )

e. Au poulailler ( )

f. Sur un strapontin ( )

g. Sous les projecteurs ( )

h. Au balcon ( )

3 *Les métiers du spectacle.* **Complétez à l'aide des mots proposés :** *l'habilleur / l'habilleuse, le / la scénographe, la doublure, l'ouvreur / l'ouvreuse, l'éclairagiste, le metteur en scène, le comédien / la comédienne, le costumier / la costumière, le producteur / la productrice.*

> *Exemple :* Il / elle s'occupe des lumières : *l'éclairagiste*

a. Il / elle interprète des rôles : ....

b. Il / elle imagine l'aménagement de la scène : ....

c. Il / elle s'occupe de l'aspect financier : ....

d. Il / elle place les spectateurs dans la salle : ....

e. Il / elle conçoit les vêtements du spectacle : ....

f. Il / elle dirige la représentation du spectacle sur la scène : ....

g. Il / elle remplace l'acteur / l'actrice en cas de problème : ....

h. Il / elle aide l'acteur / l'actrice à s'habiller et prend soin des costumes : ....

....

4 *Monter un spectacle est une grande entreprise.* **Complétez le texte à l'aide des mots proposés :** *générale, trac, tournée, rôles, répétitions, essayage, casting, décors, première.*

Le metteur en scène fait d'abord un **casting** pour sélectionner les comédiens et il distribue les **(1)** .... Alors commencent les **(2)** .... qui peuvent durer plusieurs mois. Pendant ce temps, on construit les **(3)** .... Les comédiens doivent régulièrement assister à des séances d' **(4)** .... des costumes. La **(5)** .... est la dernière répétition devant un public d'invités. C'est à ce moment que les comédiens commencent à avoir vraiment le **(6)** .... Enfin arrive le soir de la **(7)** .... qui marque la fin de la préparation et le début d'une autre aventure. Si le spectacle marche bien, il partira en **(8)** ....

5 **Notez de 1 à 8 pour indiquer le déroulement d'un spectacle.**

a. Le spectacle recommence. (   )

b. Le rideau tombe. (   )

c. On frappe les trois coups. (   )

d. Les spectateurs applaudissent pendant que les comédiens saluent. (   )

e. Le rideau s'ouvre. (   )

f. C'est l'entracte. (   )

g. Les lumières s'éteignent. (   )

h. Le spectacle commence. (   )

6 **La négation. Soulignez les phrases négatives.**

Exemple : <u>Vous n'allez jamais au théâtre !</u>

Tu n'as que deux places pour la représentation de ce soir !

a. Je crains que le trac ne l'empêche de jouer.

b. Ils ne cessent de répéter depuis ce matin.

c. Nul ne l'a vu à l'entracte !

d. Il apprend son texte n'importe où !

e. Le théâtre n'ouvre qu'à 20 heures.

f. Nous n'apprécions ni le théâtre ni la danse.

g. Elle n'est guère satisfaite de la mise en scène.

h. Avant que tu ne sois trop fatigué, apprends ton texte !

7 La négation. Complétez les réponses à l'aide des négations proposées : *ne... nulle part, ne... aucun, ne... plus, ne... personne, ne... pas encore, ne... aucune, ne... rien, ne... jamais, ne... guère.*

> *Exemple :* – Est-ce qu'elle fait toujours du théâtre ?
> – Non, elle *n'*en fait *plus* depuis 6 mois.

a. – Tu as besoin de quelque chose pour le spectacle ?
   – Non, je .... ai besoin de ...., merci.

b. – Il y a du monde dans la salle ? – Non, il .... y a ....

c. – Est-ce que vous avez une astuce contre le trac ?
   – Non, malheureusement, je .... ai .... astuce.

d. – Tu vas aux répétitions quelquefois ? – Non, je .... y vais .... !

e. – Elles sont dans les coulisses ? – Non, je .... les trouve ....

f. – Il est arrivé dans sa loge ? – Non, il .... est .... là.

g. – Vous allez souvent voir des ballets ? – Non, nous .... y allons ....

h. – Tu as acheté les billets ? – Non, il .... reste .... billet à vendre. C'est complet !

8 Combinaison de négations. Complétez les phrases suivantes à l'aide de : *jamais, plus, rien, aucun, personne, nulle part.*

> *Exemple :* Ils ne veulent *jamais rien* manger avant d'entrer en scène.

a. Après son accident, elle n'a .... voulu monter sur scène.

b. Tu ne peux .... aller .... le soir à cause du spectacle !

c. On ne veut .... voir .... avant le spectacle ! C'est fini !

d. Je n'ai .... oublié .... chorégraphie.

e. Ils ne retiennent .... ligne de leur texte depuis quelques temps.

f. Elle ne peut .... dire. Elle a une extinction de voix !

g. .... ne nous applaudit .... !

h. Il n'y a .... spectateur en retard. C'est un miracle !

9 Transformez les phrases suivantes à la forme négative.

a. Je fais du théâtre depuis longtemps.
→ ....

b. Il va aux répétitions durant le week-end.
→ ....

c. Elles veulent encore prendre des cours de comédie.
→ ....

d. Nous partons toujours à l'entracte.
→ ....

e. Tu veux souvent manger quelque chose après le spectacle.
→ ....

f. Elle est déjà arrivée.

→ ....

g. Il y a beaucoup de monde ce soir.

→ ....

h. Vous avez encore beaucoup de répliques à mémoriser.

→ ....

10 | **Mettez les phrases suivantes dans l'ordre.**

Exemple : il/d'/personne/ne/vient/sait/où/. ***Personne ne sait d'où il vient***

a. embarrassant/./trou/rien/plus/n'/de/est/qu'/mémoire/un

→ ....

b. lui/guitariste/./n'/plus/que/talentueux/aucun/est

→ ....

c. mélodie/vaut/ne/belle/une/./rien

→ ....

d. a/ne/informé/ton/personne/l'/départ/./de

→ ....

e. produire/./accepteront/n'/jamais/ils/de/se

→ ....

f. ne/compositeur/que/./ce/travaille/personne/autant

→ ....

g. part/sécurité/ne/nulle/serez/en/./vous

→ ....

h. date/décidée/n'/aucune/./été/a/concert/pour/le

→ ....

11 | **Les adjectifs à valeur négative. Complétez les phrases suivantes à l'aide des adjectifs**
proposés : *imprononçable, inabordable, inaudible, inattendu, inachevée, imprévisible, inaperçu,*
immobile, inadapté.

Exemple : Je n'étais pas préparé à de telles critiques. C'est vraiment ***inattendu*** !

a. Je n'entends rien. La voix de cette comédienne est complètement .... !

b. Personne ne fait attention à lui. Il passe totalement .... !

c. L'auteur est mort avant de finir son œuvre. La pièce est donc ....

d. Nous ne pourrons assister à ce spectacle. Le prix des billets est .... !

e. Ce décor ne convenait pas du tout. Il était .... à l'atmosphère du spectacle

f. Je ne sais plus comment s'appelle le metteur en scène. Il porte un nom ....

g. Il ne pouvait plus bouger. Il est resté .... sur la scène. C'était effrayant !

h. On ne sait jamais ce qu'il fera à la prochaine représentation. Il est très ....

12 | **Les adjectifs à valeur négative. Transformez les mots suivants comme dans l'exemple.**

Exemple : limité : *illimité*

a. probable : ....
b. mature : ....
c. compatible : ....
d. lisible : ....

e. cohérent : ....
f. légal : ....
g. digne : ....
h. prudent : ....

13 | **Les verbes à valeur négative. Complétez les phrases avec les verbes suivants :** *se méfier, s'absenter, manquer, empêcher, refuser, détester, mentir, ignorer, éviter.*

Exemple : Elle ne vient jamais aux castings. Elle *manque* tous les castings.

a. Elle n'accepte aucun maquillage. Elle .... tout maquillage.
b. Elle n'est pas là pendant une heure à chaque répétition. Elle .... pendant une heure à chaque répétition.
c. Elle s'arrange toujours pour ne pas essayer les costumes. Elle .... d'essayer les costumes.
d. Elle ne répond jamais à aucun salut. Elle .... tous les saluts.
e. Elle ne fait confiance à personne. Elle .... de tout le monde.
f. Elle n'aime pas du tout les fleurs. Elle .... les fleurs.
g. Elle ne dit jamais la vérité. Elle .... tout le temps.
h. Elle ne permet à personne de se concentrer. Elle .... tout le monde de se concentrer.

14 | *Manquer.* **Cochez pour indiquer ce que signifie le verbe « manquer » dans chaque phrase.**

Exemples : Elle manque de confiance en elle. 1. ☐ Besoin 2. ☒ Insuffisance 3. ☐ Décalage
Tu me manques. 1. ☒ Besoin 2. ☐ Insuffisance 3. ☐ Décalage
J'ai manqué mon train. 1. ☐ Besoin 2. ☐ Insuffisance 3. ☒ Décalage

a. Ses enfants lui manquent quand elle est en tournée.
1. ☐ Besoin **2.** ☐ Insuffisance **3.** ☐ Décalage
b. On a manqué la première parce que Paul était malade.
1. ☐ Besoin **2.** ☐ Insuffisance **3.** ☐ Décalage
c. Ce spectacle manque de musique.
1. ☐ Besoin **2.** ☐ Insuffisance **3.** ☐ Décalage
d. Il manque des accessoires pour pouvoir commencer.
1. ☐ Besoin **2.** ☐ Insuffisance **3.** ☐ Décalage
e. Ils ont manqué le début du spectacle.
1. ☐ Besoin **2.** ☐ Insuffisance **3.** ☐ Décalage
f. Vous manquez de patience pendant les répétitions.
1. ☐ Besoin **2.** ☐ Insuffisance **3.** ☐ Décalage

g. Elle a manqué la marche et elle est tombée sur la scène.

    1. ☐ Besoin   **2.** ☐ Insuffisance   **3.** ☐ Décalage

h. Ça me manque de ne plus aller au cirque.

    1. ☐ Besoin   **2.** ☐ Insuffisance   **3.** ☐ Décalage

B. LA CHANSON ET LA MUSIQUE

15 | *La chanson.* **Rayez l'intrus.**

    Exemple : ~~la bande~~ / le groupe / les musiciens et les chanteurs

a. le refrain / le rythme / les couplets

b. le chanteur / l'interprète / le compositeur

c. un record / un disque / un album

d. une chanson / un titre / un chanteur

e. une série de concerts / un tournage / une tournée

f. le poème / le texte / les paroles

g. la musique / la mélodie / le mélo

h. l'auteur / l'écrivain / le parolier

16 | *Musique.* **Complétez ces définitions à l'aide des mots proposés :** *partition, arche*
baguettes, note, solfège, touches, pupitre, ampli, diapason.

    Exemple : Elle correspond à un son : la ***note***

a. Il donne le La : le ....

b. Il passe sur les cordes du violon : l'................

c. Le pianiste y pose ses doigts : les ....

d. Elles permettent de taper sur la batterie : les ....

e. Il augmente le volume sonore : l'................

f. On l'apprend pour lire les notes : le ....

g. On y trouve le morceau de musique écrit : la ....

h. Il présente la partition au musicien : le ....

17 | *Sans.* **Reliez pour retrouver ce que les mots soulignés signifient.**

a. Elle chante <u>a capella</u>.   1. sans nous arrêter

b. Il écrit les paroles <u>automatiquement</u>.   2. sans être certain

c. Nous avons enregistré l'album <u>d'une traite</u>.   3. sans musique

d. J'ai appris <u>seul</u> la musique   4. sans aucun doute

e. Tu écouteras ce disque <u>en mon absence</u>.   5. sans professeur

f. Ce disque est <u>certainement</u> le meilleur.   6. sans complexe

g. <u>Nous n'avons pas peur du ridicule quand</u> nous chantons.   7. sans moi

h. J'ai fait cet album, <u>je n'étais pas sûr</u> du résultat.   8. sans réfléchir

18 Sans. **Transformez les phrases suivantes comme dans l'exemple.**

Exemple : Ma sœur n'a pas fait attention au public quand elle a chanté.
Ma sœur a chanté sans faire attention au public.

a. Les musiciens n'avaient pas leurs instruments quand ils sont arrivés.
→ ....

b. Tu n'étais pas là quand ils ont commencé la répétition.
→ ....

c. Nous avons laissé nos enfants à la maison et nous sommes allés au concert.
→ ....

d. Elle assiste à tous les concerts de rock et elle ne paie jamais.
→ ....

e. Ils n'ont jamais le trac quand ils montent sur scène.
→ ....

f. Je ne serais pas la même s'il n'y avait pas tes chansons !
→ ....

g. Quand on a acheté ce disque, on ne l'avait pas écouté.
→ ....

h. Quand j'ai acheté les billets de concerts, je n'avais pas demandé à mes parents.
→ ....

19 **Négation et adverbes. Cochez pour indiquer la signification de la négation.**

Exemple : Je ne suis pas totalement prête pour le spectacle.
1. ☒ Pas tout à fait   **2.** ☐ Pas du tout

a. Il n'a pas vraiment travaillé.
1. ☐ Pas beaucoup   **2.** ☐ Pas du tout

b. Elle ne fait vraiment pas d'effort pour apprendre son texte.
1. ☐ Pas beaucoup   **2.** ☐ Pas du tout

c. Tu n'es absolument pas à l'aise dans ce rôle.
1. ☐ Pas très   **2.** ☐ Pas du tout

d. Nous ne sommes pas absolument convaincus par votre prestation.
1. ☐ Pas tout à fait   **2.** ☐ Pas du tout

e. Ils n'ont pas définitivement décidé de lui donner sa chance.
1. ☐ Pas tout à fait   **2.** ☐ Pas du tout

f. Monsieur, vous n'êtes définitivement pas talentueux.
1. ☐ Pas très   **2.** ☐ Pas du tout

g. On n'est pas tellement persuadés que vous saurez incarner ce personnage.
1. ☐ Pas tout à fait   **2.** ☐ Pas du tout

h. Il n'est fondamentalement pas doué.
1. ☐ Pas très   **2.** ☐ Pas du tout

20 *Ni*. **Transformez les phrases suivantes à l'aide de *ni* et *ne*.**

> *Exemple :*   Le rock et le jazz ne l'intéressent pas.
> ***Ni le rock ni le jazz ne l'intéressent.***

a. Sur la scène, il n'y a aucun projecteur et pas d'ampli.

→ ....

b. Toi et Paul, vous ne me ferez pas changer d'avis.

→ ....

c. Valérie n'est pas venue aux répétitions, le batteur, non plus.

→ ....

d. Nous n'apprécions pas les paroles et pas la musique.

→ ....

e. Tu ne chantes pas, tu ne danses pas.

→ ....

f. Elle ne sera pas en retard mais pas en avance non plus !

→ ....

g. Je n'ai pas peur de vous et je n'ai peur de personne.

→ ....

h. Ce n'est pas le moment et pas l'endroit.

→ ....

21 **Interrogation. Complétez les questions suivantes à l'aide des mots proposés :** *qui, où, quoi, comment, que, pourquoi, combien, quel, quand.*

> *Exemple :*   – ***Pourquoi*** Chloé semble-t-elle si nerveuse ? – Parce qu'elle a une audition.

a. – Ça se passe .... ? – Au Châtelet.

b. – C'est pour jouer dans .... ? – Dans une comédie musicale.

c. – .... ça s'appelle ? – *L'invitation au voyage.*

d. – .... va l'accompagner ? – Son agent.

e. – .... y a-t-il de candidats ? – Des centaines.

f. – Elle voudrait .... rôle ? – Le premier, bien sûr !

g. – Les répétitions commenceront .... ? – Dans un mois.

h. – .... vas-tu lui dire avant son départ pour le théâtre ? – Je vais lui souhaiter bonne chance !

22 **Interrogation. Transformez les questions suivantes en questions formelles.**

> *Exemple :*   Tu veux venir au cirque avec nous ? ***Veux-tu venir au cirque avec nous ?***

a. Ils parlent de quoi ? ....

b. Il fait quoi ? ....

c. Est-ce qu'il y a des places ? ....

d. Vous vous êtes endormis pendant le concert ? ....

e. Elle a acheté le DVD du concert de Kyo ? ....

f. Géraldine a l'intention de devenir danseuse au Moulin Rouge ? ....

....

g. Comment est-ce qu'il a pu s'introduire dans les coulisses sans se faire arrêter ? ....
....

h. Qu'est-ce que je peux faire pour vous ? ....

23 Les prépositions. Complétez les questions suivantes à l'aide des prépositions : *à, de, par, pour, dans, sur, avec, en, pour.*

    Exemple :   C'est **pour** quoi faire?

a. .... qui prépares-tu ce spectacle ? Tu ne seras pas seule, j'espère !

b. .... qui sont ces costumes ? Ce sont les tiens ?

c. Ce sera prêt .... combien de temps ? Cinq ou dix minutes ?

d. .... quoi est-ce que tu travailles en ce moment ?

e. .... où sortez-vous ces projecteurs ? Ils étaient dans cette cabine ?

f. Cette fête a lieu .... quel honneur ?

g. .... quoi allons-nous commencer ? Une chanson douce ou une chanson rock ?

h. .... qui est-ce que tu travailles ? Un petit ou un grand producteur ?

24 Interview. Écoutez et écrivez les questions entendues.

    Exemple :   **Quel est le nom de votre groupe ?**

a. ....

b. ....

c. ....

d. ....

e. ....

f. ....

g. ....

h. ....

25 Prépositions + *quel(le)(s)*. Complétez les questions suivantes à l'aide d'une préposition suivie de *quel(le)(s)*.

    Exemple :   **Par quel** moyen avez-vous trouvé une maison de disque qui accepte de vous donner votre chance ?

a. .... manière s'est passée votre première audition ?

b. .... raison parlez-vous autant de la Bretagne dans vos chansons ?

c. .... avez-vous écrit la chanson *Un type bien* ?

d. .... hasard avez-vous rencontré les musiciens qui vous accompagnent ?

e. .... problèmes de société vous révoltez-vous ?

f. .... thèmes souhaiteriez-vous écrire désormais ?

g. .... but participez-vous à ce gala ?

h. .... producteur enverrez-vous votre prochaine maquette ?

26 *Demander des précisions.* **Reliez ces phrases aux pronoms interrogatifs composés.**

a. – Ils consacrent leur temps libre à une activité de loisir.

b. – Elle s'est occupée des interviews.

c. – Nous nous intéressons à ses textes.

d. – On a tenu compte de sa déclaration.

e. – Tu as pensé aux dates ?

f. – Il rêve de ce concert.

g. – Vous avez réfléchi au projet ?

h. – On va avoir besoin d'accessoires.

1. – Duquel ?

2. – Desquelles ?

3. – De laquelle ?

4. – À laquelle ?

5. – Auquel ?

6. – Auxquelles ?

7. – Desquels ?

8. – Auxquels ?

27 **Rayez ce qui ne convient pas.**

Exemple : ~~Quel~~ / ~~Lequel~~ / Auquel de vos collaborateurs vous confiez-vous ?

a. Avec quel / lequel / duquel chanteur aimeriez-vous faire un duo ?

b. – Il s'est opposé aux décisions que nous avions prises.

– Quelles / Auxquelles / Desquelles ?

c. Quelle / Laquelle / De laquelle de ces photos voulez-vous mettre sur les affiches ?

d. Quelles / Lesquelles / Auxquelles sont les guitares que vous utiliserez ce soir ?

e. Quelles / Lesquelles / Desquelles de ces valises emporterez-vous en tournée ?

f. À quel / Auquel / Duquel moment fixez-vous le départ ?

g. – Je me suis occupé des malles. – Quelles / Auxquelles / Desquelles ?

h. – On a changé quelques éclairages. – Lesquels / Auxquels / Desquels parlez-vous ?

28 *Vous êtes journaliste et vous interviewez ce chanteur.* **Imaginez des questions possibles à poser à partir de ce document.**

Gérald de Palmas est né à la Réunion et a vécu longtemps à Aix-en-Provence.

À treize ans, il a sa première révélation musicale en écoutant du ska tandis qu'il baigne depuis longtemps dans son propre univers musical ayant pour base essentielle la guitare acoustique.

Gérald de Palmas aime beaucoup Stevie Wonder, Robert Palmer et les Black Crowes.

Son premier album, intitulé *La Dernière Année*, est sorti en 1994 et lui a permis de remporter une Victoire de la Musique en 1996. Le disque s'est vendu à 130 000 exemplaires.

Gérald de Palmas ne sait pas seulement enregistrer avec soin un album, il sait aussi tisser un lien chaleureux avec son public.

Son deuxième album *Les Lois de la nature*, sorti en 1997, n'a pas obtenu le succès espéré.

Jean-Jacques Goldman et Maxime Le Forestier ont collaboré à la réalisation de son troisième album *Marcher dans le sable* qui a obtenu un immense succès auprès du public.

Exemple : ***Où êtes-vous né ?***

a. ....

b. ....

c. ....

d. ....

e. ....

f. ....

g. ....

h. ....

C. LES SPECTACLES COMIQUES

29 Rayez ce qui ne convient pas.

Exemple : Une situation amusante est comique / ~~commune~~.

a. C'est un(e) artiste qui fait rire : un(e) humaniste / un(e) humoriste

b. C'est un effet comique, inattendu et rapide : un tag / un gag

c. C'est une pièce comique très courte : un sketch / une quetsche

d. C'est un artiste qui présente les aspects ridicules d'une situation ou d'une personne : une caricature / un(e) caricaturiste

e. C'est une plaisanterie qui s'appuie sur la ressemblance entre des mots : un jeu de mots / un gros mot

f. C'est un mot qui qualifie une situation qui n'a pas de sens : obsolète / absurde

g. C'est une situation qui repose sur une méprise, un malentendu : un quiproquo / un quolibet

h. Il fait rire avec son nez rouge et son costume trop grand : un clown / un clone

30 Nominalisation. Retrouvez le nom correspondant aux adjectifs proposés.

Exemple : Drôle : *une drôlerie*

a. Amusant : un ....

b. Hilarant : une ....

c. Rigolo : une ....

d. Divertissant : un ....

e. Joyeux : une ....

f. Plaisant : une ....

g. Distrayant : une ....

h. Réjouissant : une ....

31 Reliez ces expressions à leur définition.

a. Être mort de rire.

b. Avoir le fou rire.

c. Être plié en deux.

d. Rire aux éclats.

e. Pouffer de rire.

f. Être pince-sans-rire.

g. Rire jaune.

h. Pleurer de rire.

1. Rire énormément.

2. Rire en cachette.

3. Faire semblant de rire.

4. Rester sérieux en disant des choses drôles.

5. Ne pas pouvoir cesser de rire.

32 *Moi, aussi* ou *moi, non plus.* Pour vous, c'est la même chose. Écoutez et cochez la bonne réponse.

Exemple : **1.** ☒ Moi, aussi.   **2.** ☐ Moi, non plus.

a. **1.** ☐ Moi, aussi.   **2.** ☐ Moi, non plus.

b. **1.** ☐ Moi, aussi.   **2.** ☐ Moi, non plus.

c. **1.** ☐ Moi, aussi.   **2.** ☐ Moi, non plus.

d. **1.** ☐ Moi, aussi.   **2.** ☐ Moi, non plus.

e. **1.** □ Moi, aussi.   **2.** □ Moi, non plus.

f. **1.** □ Moi, aussi.   **2.** □ Moi, non plus.

g. **1.** □ Moi, aussi.   **2.** □ Moi, non plus.

h. **1.** □ Moi, aussi.   **2.** □ Moi, non plus.

33 | *Moi, si !* ou *Moi, non !* **Pour vous, c'est différent. Dites-le en cochant la bonne réponse.**

    Exemple :   – Je trouve que ce spectacle n'est pas drôle du tout !

               1. ☒ Moi, si !   **2.** □ Moi, non !

a. – Nous n'avons jamais vu Muriel Robin sur scène.

     1. □ Moi, si !   **2.** □ Moi, non !

b. – Laurence et Stéphane n'ont pas applaudi une seule fois de toute la soirée.

     1. □ Moi, si !   **2.** □ Moi, non !

c. – J'adore faire le clown.

     1. □ Moi, si !   **2.** □ Moi, non !

d. – Jean était plié en deux.

     1. □ Moi, si !   **2.** □ Moi, non !

e. – On ne dépensera pas un sou pour voir cette folle sur scène.

     1. □ Moi, si !   **2.** □ Moi, non !

f. – Nous avons bien ri pendant deux heures.

     1. □ Moi, si !   **2.** □ Moi, non !

g. – Je ne veux pas écouter plus longtemps cet imbécile !

     1. □ Moi, si !   **2.** □ Moi, non !

h. – Je reviendrai le voir dès qu'il repassera dans la région.

     1. □ Moi, si !   **2.** □ Moi, non !

34 | *Moi, si ! Moi, aussi ! Moi, non ! Moi, non plus !* **Exprimez vos goûts selon les indications de la phrase.**

    Exemple :   – J'ai horreur de cet artiste ! – *Moi, si !* Je l'aime beaucoup.

a. – Je n'ai jamais compris l'intérêt des gens pour les humoristes. – .... Ils sont tout à fait ridicules !

b. – Antoine n'a pas trouvé un seul emploi de régisseur depuis des mois. – .... Je suis débordé !

c. – Je trouve que les décors sont abominables. – .... C'est scandaleux !

d. – Je n'ai voulu engager personne avant de finir les auditions. – .... On ne sait jamais si on ne va pas trouver un acteur génial au dernier moment !

e. – On n'écoute que du jazz. – .... J'écoute de tout.

f. – Nous avons reçu une invitation pour la générale. – .... Je n'ai rien reçu.

g. – Sylvie veut à tout prix nous faire écouter l'album qu'elle vient d'acheter. – .... J'ai quelque chose à vous faire écouter !

h. – Le concert a été annulé. Je ne suis pas contente du tout. – .... J'étais tellement impatiente !

35 | Reformulez ces questions à la forme interro-négative.

> *Exemple :* Avez-vous des préférences musicales ?
> ***N'avez-vous pas de préférences musicales ?***

a. Il va venir avec nous assister au concert ?
→ ....

b. Tu voudrais bien écrire une pièce avec moi ?
→ ....

c. Y a-t-il une chanson que vous souhaiteriez écouter en particulier ?
→ ....

d. Tu aurais envie d'apprendre à jouer de la guitare ?
→ ....

e. Avaient-ils décidé d'aller au spectacle pour leur anniversaire de mariage ?
→ ....

f. Vous vous rappelez cet humoriste qui est venu l'année dernière dans notre village pour y passer des vacances ?
→ ....

g. A-t-on des billets pour le gala de charité ?
→ ....

h. Est-ce que c'est une soirée privée ? → ....

36 | Imaginez la question qui correspond à la réponse proposée.

> *Exemples :* **– Allez-vous aux spectacles pour rire?** – Oui, je vais aux spectacles pour rire.
> **– Ne vous ennuyez-vous pas un peu parfois ?** – Si, je m'ennuie un peu parfois.

a. .... – Si, j'apprécie beaucoup la musique.

b. .... – Oui, je sors presque tous les soirs.

c. .... – Si, j'ai des amis.

d. .... – Si, je voudrais aller danser.

e. .... – Oui, nous louons beaucoup de DVD.

f. ....
– Si, j'ai l'impression que les gens sortent de moins en moins de chez eux.

g. ....
– Oui, vous avez le droit de prendre des photos pendant le spectacle mais vous devez, d'abord, demander une autorisation.

h. ....
– Si, je pense que certains artistes se prennent un peu trop au sérieux.

37 Reliez ces phrases à leur définition.

a. Il a fait une scène terrible.
b. Il joue la comédie.
c. Il est allé dans le décor.
d. Il a toujours le beau rôle.
e. Il est sous les feux de la rampe.
f. Il y a eu un coup de théâtre.
g. Elle le fait marcher à la baguette.
h. Il faut accorder ses violons avant de parler.

1. Un événement inattendu s'est produit.
2. Il apparaît à son avantage.
3. Il a eu un accident.
4. Les médias s'intéressent à lui.
5. Il n'est pas sincère.
6. Il obéit à tous ses ordres au doigt et à l'œil.
7. Il a fait un scandale.
8. Il faut se mettre d'accord.

Bilan

38 Complétez ce texte avec le mot correct.

Ma nièce a toujours été passionnée par le **(1) théâtre**. Dès son plus jeune âge, elle a voulu devenir **(2)** c................. pour pouvoir jouer un jour à la Comédie Française. C'est pourquoi en devenant grande, elle a pris des cours au conservatoire. À partir de ce moment-là, elle a joué dans de nombreuses **(3)** p................. Elle avait souvent le **(4)** r......... principal car elle pouvait mémoriser toutes ses **(5)** r................. sans difficultés. Évidemment, elle participait aux différentes **(6)** r................. Ainsi, lors de la **(7)** g................. et de la **(8)** p................. elle était fin prête et sûre d'elle. Elle n'avait le **(9)** t......... qu'au moment où l'on frappait les trois **(10)** c................. Quand elle était sur **(11)** s................., elle oubliait tout. À cause des **(12)** p................., elle ne voyait pas les **(13)** s.............. assis devant elle et encore moins ceux assis au **(14)** p.............. mais elle les entendait réagir au moindre de ses mots, au moindre de ses gestes. Parfois, au cours d'une scène particulièrement difficile, elle apercevait, dans les **(15)** c............, le **(16)** m.......................... qui l'observait pour voir si tout se passait bien. Au moment de **(17)** l'e................., elle allait dans sa **(18)** l............ pour se détendre quelques instants avant d'affronter les derniers actes. À la fin, quand le **(19)** r.............. tombait pour la dernière fois après avoir salué le **(20)** p.............., une certaine allégresse gagnait toute la troupe. Ensuite, tout le monde regagnait les coulisses avec bonne humeur, c'était le moment que ma nièce préférait.

39 *Deux jeunes doivent écrire un article pour le journal de leur lycée, ils en discutent.* **Complétez le dialogue en tenant compte des questions, des réponses et des exclamations données.**

Éric : – Bon, alors... nous devons faire un article sur ce qui s'est passé cette année dans le domaine du spectacle, ce que nous avons aimé ou non. **(1)** ....
....

Hervé : – Non, je n'en ai aucune. J'ai vu tellement de spectacles que je les mélange un peu tous, pas toi ?

Éric : – **(2)** .... *J'ai une assez bonne mémoire, j'ai vu beaucoup de choses inté-ressantes.* **(3)** ....

Hervé : – Si, je m'en souviens.

Éric : – Daniel Mesguich est un très bon comédien. Dans cette pièce, il a joué divinement bien et sa mise en scène était excellente ! Tu n'es pas de mon avis ?

Hervé : – **(4)** .... *car je n'étais pas très bien placé et je n'ai presque rien entendu. Pour moi c'était vraiment* **(5)** .... *! Par contre le concert de De Palmas était génial !*

Éric : – Tu veux parler **(6)** .... *? De celui qui reprenait les chansons de ces deux premiers albums ou de celui qui coïncidait avec la sortie de* Marcher dans le sable *?*

Hervé : – Du dernier, bien sûr ! Je l'ai vraiment adoré.

Éric : – Tu as raison, celui-ci était vraiment bien ! Dis-moi, **(7)** ....
....

Hervé : – Non, je n'ai pas vu le spectacle de Muriel Robin. D'ailleurs, je n'en ai jamais vu **(8)** ....

Éric : – Tu as tort. Ses spectacles sont toujours dynamiques, hilarants et collent à la réalité. Tu n'as jamais entendu le **(9)** .... *de « L'addition » ?*

Hervé : – **(10)** ...., *évidemment ! Il est passé suffisament à la radio. Mais je n'ai jamais été tenté de la voir sur scène. Par contre, j'ai vu plusieurs fois Alex Métayer. J'adorais sa manière de rester sérieux en disant des choses drôles.*

Éric : – C'est vrai que Métayer était très **(11)** .... *! J'irais volontiers le voir dans un de ses spectacles.*

Hervé : – **(12)** .... *Dis-donc et notre article alors ? Par quoi on commence ?*

Éric : – Voilà, je pense que l'on pourrait...

II. FAMILLE... TOUT SE COMPLIQUE !

A. LA FAMILLE AU QUOTIDIEN

40 Complétez les phrases à l'aide des mots proposés : *tante, belle-mère, cousine, beau-père, gendre, neveu, grand-père/aïeul, arrière-grand-père/bisaïeul, demi-sœur.*

Exemple : Le père de la sœur de mon père, c'est mon **grand-père/aïeul.**

a. Le père du frère de mon épouse, c'est mon ....

b. Le mari de la fille de ma femme, c'est son ....

c. La sœur de la mère de mon fils, c'est sa ....

d. La fille de la sœur de mon père, c'est ma ....

e. Le frère de la fille de mon frère, c'est mon ....

f. La nouvelle conjointe du père de mon fils, c'est sa ....

g. La fille de ma mère et de son nouvel époux, c'est ma ....

h. Le père de la mère de ma mère, c'est mon ....

41 Cochez le terme qui convient.

Exemple : la crèche **1.** ☐ familiale **2.** ☒ parentale

a. le quotient	**1.** ☐ familial	**2.** ☐ parental
b. l'autorité	**1.** ☐ familiale	**2.** ☐ parentale
c. les allocations	**1.** ☐ familiales	**2.** ☐ parentales
d. le congé	**1.** ☐ familial	**2.** ☐ parental
e. les réunions	**1.** ☐ familiales	**2.** ☐ parentales
f. la cellule	**1.** ☐ familiale	**2.** ☐ parentale
g. l'accord	**1.** ☐ familial	**2.** ☐ parental
h. une maison	**1.** ☐ familiale	**2.** ☐ parentale

42 Articles définis ou indéfinis. Rayez l'article qui ne convient pas.

Exemple : Paul, hier, j'ai visité, pour d̶e̶s̶ / les enfants, un /X̶ appartement dans un / ❌ vieil immeuble. Il est vraiment très bien !

a. Il y a une / la grande salle de séjour avec des / les baies vitrées. Une / La vue donne su une / la Seine. C'est très joli !

b. Il y a trois chambres, une / la salle de bains et une / la cuisine. Ce qui est super, ce son des / les placards. Il y en a dans toutes des / les pièces.

c. Un / Le problème avec des / les vieux appartements, c'est un / l' entretien. Celui-là n'a pas été bien entretenu.

d. Des / Les travaux sont nécessaires. Il faudra changer un / le carrelage de une / la salle d bains et un / le papier-peint de une / l' entrée.

e. Des / Les enfants aimeront peut-être casser un / le mur qui sépare une / la cuisine du séjour et faire une / la cuisine américaine.

f. Ils n'ont pas encore vu un / l' appartement mais ce serait une / la merveilleuse idée qu'ils le visitent avant une / la cérémonie du mariage.

g. Mais tu sais comment ils sont... Si une / l' idée vient de moi, ils refuseront d'en tenir compte. Et une / l' affaire du siècle leur passera sous un / le nez !

h. J'aimerais donc que tu leur en touches deux mots. Il faut qu'ils fassent une / la proposition aux propriétaires avant une / la fin du mois. Une / L' affaire comme celle-là ne se représentera peut-être plus avant longtemps. Alors, téléphone aux enfants tout de suite !

43 | **Les partitifs. Complétez à l'aide de :** *de la, du, de l', de, d'.*

La vie de tous les jours est remplie de petits bonheurs, non ? On peut ressentir au sein même de sa famille **de l'** amour, **(1)** .... joie et **(2)** .... tendresse, ce qui rend la vie plus douce. Mais certains jours, une grande fatigue s'abat sur nous car nous travaillons trop et à ce moment-là, il n'y a plus **(3)** .... amour, plus **(4)** .... joie ni **(5)** .... tendresse.

Nous ne ressentons que **(6)** .... haine envers tout le monde ce qui nous donne **(7)** .... chagrin. Heureusement, après, l'orage passe et la vision de notre quotidien nous offre **(8)** .... respect pour nos proches. Ce qui nous pousse à dire ensuite : nous ne voulons pas **(9)** .... violence, ni **(10)** .... égoïsme.

44 | **Les articles et la négation.** *Dans une réunion de famille, vous êtes venu(e) avec un ami qui ne connaît personne et ne connaît pas bien vos goûts. Il vous pose des questions et vous lui répondez.* **Écoutez et répondez aux questions.**

Exemple : (gâteau) Non, **je ne veux pas de tarte, je veux du gâteau !**

a. (étudiant) Non, ...

b. (caviar) Non, ...

c. (vodka) Non, ...

d. (bière) Non, ...

e. (carte bleue) Non, ...

f. (frère de Chloé) Non, ...

g. (salade de fruits) Non, ...

h. (luge) Non, ...

45 | **Avec ou sans article ? Complétez les phrases suivantes avec un article défini ou indéfini si nécessaire.**

Exemple : Je fais du sport **le** lundi soir, mais **Ø** lundi prochain je ne pourrai pas y aller.

a. Quand je suis entrée dans le bureau de la directrice, j'ai compris que ma fille avait vraiment volé ce stylo à .... plume en or.

b. Le vendredi nous allons au théâtre mais .... vendredi prochain nous irons au cinéma.

c. Il est .... ingénieur en électronique. D'ailleurs, c'est .... très bon ingénieur.

d. J'ai .... confiance en mon fils, mais j'ai .... peur bleue qu'il échoue à son bac.

e. Ma mère a trouvé dans le tiroir de .... commode de sa chambre, mon livre de .... poésie.

f. C'est .... flambeur. Mon frère a toujours eu .... grand besoin d'argent.

g. Chaque dimanche, quand nous faisions notre promenade en bateau à .... voiles, ma grand-mère nous préparait des tartes délicieuses à .... rhubarbe.

h. Depuis son mariage, mon frère a .... confiance absolue en sa femme.

46 **Complétez les phrases suivantes à l'aide de :** *du, de la, de l', des, de, d'.*

  Exemple :   Lors d'une réunion de parents d'élèves, j'ai dû prendre la parole. J'avais très peu *de* courage pour monter sur scène étant donné que je déteste parler en public !

a. Arrivé sur scène, une partie .... public m'a sifflé. C'était encourageant, non ?

b. En plus, le micro ne marchait pas. Je n'avais vraiment pas .... chance !

c. Heureusement, les deux-tiers .... salle étaient vides.

d. Il n'y avait pas beaucoup .... enfants, ce qui était normal pour ce type de réunion.

e. En fait, l'ensemble .... parents a été très attentif durant mon intervention.

f. À la fin, 10 % .... assistance est venu me féliciter. J'en ai été très touché.

g. J'étais heureux d'avoir terminé mais il était tard et il n'y avait plus .... métro !

h. La plupart .... temps, je rentre à pied. Pourtant ce soir-là, je suis rentré en taxi. J'avais eu assez .... émotions pour la soirée !

47 **Bilan sur les articles. Complétez ce dialogue avec l'article qui convient.** *Accueil de la baby-sitter...*

– Bonjour Sophie !

– Bonjour Madame.

– Julie est en train de dormir mais elle va bientôt se réveiller. À son réveil, vous la changerez. Vous trouverez **(1)** .... couches, **(2)** .... lingettes sous **(3)** .... table à langer dans **(4)** .... salle de bains. Ensuite vous lui donnerez à manger. J'ai préparé **(5)** .... purée avec **(6)** .... jambon et **(7)** .... champignons. Après vous lui donnerez **(8)** .... morceau **(9)** .... fromage avant **(10)** .... dessert. Comme dessert, elle aura **(11)** .... yaourt **(12)** .... fruits. Évidemment, elle pourra boire **(13)** .... l'eau, mais pas **(14)** .... jus de fruits.

– Je peux réchauffer **(15)** .... purée au four à micro-onde ?

– Bien sûr. Après **(16)** .... repas vous pourrez jouer avec elle, lui lire **(17)** .... livres ou la faire dessiner. Ensuite vous la recoucherez. Vous pourrez lui chanter **(18)** .... berceuse et lui faire écouter **(19)** .... musique pour qu'elle s'endorme. **(20)** .... plupart **(21)** .... temps, elle s'endort rapidement.

– Je pourrai regarder **(22)** .... télévision quand elle sera endormie ?

– Oui, il n'y a pas **(23)** .... problème. Nous avons aussi **(24)** .... D.V.D. ou **(25)** .... vidéos. Nous rentrerons vers minuit. À tout à l'heure.

– À tout à l'heure et bonne soirée !

48 | Les adjectifs démonstratifs. *Corvée dominicale : ranger le jardin...* Complétez les phrases suivantes à l'aide de : *ce, cet, cette ou ces.*

    Exemple : Tu vois **ce** ballon, fais-le rouler jusqu'à **cette** caisse blanche.

a. Mets .... tondeuse dans .... hangar.

b. Range .... outils dans .... cabane là-bas.

c. Vide .... arrosoir sur .... fleurs bleues.

d. Prends .... vélo et mets-le sous .... auvent.

e. Ne laisse rien si près de .... étang ni sur .... pelouse.

f. Ramasse .... journaux et mets-les sur .... plateau.

g. .... idiot de Paul a oublié de rapporter .... chandail à la maison ; prends-le !

h. Rentre maintenant, ... jardin est bien rangé pour .... après-midi !

49 | Les adjectifs qualificatifs. Retrouvez le féminin des adjectifs proposés.

    Exemple : heureux : **heureuse**

a. franc : ....   e. vieux : ....

b. doux : ....   f. poli : ....

c. nouveau : ....   g. gentil : ....

d. roux : ....   h. neuf : ....

50 | Les adjectifs qualificatifs. Retrouvez le singulier des adjectifs proposés.

    Exemple : beaux : **beau**

a. mauvais : ....   e. joyeux : ....

b. vrais : ....   f. gros : ....

c. confus : ....   g. courtois : ....

d. têtus : ....   h. amicaux : ....

51 | Transformez les phrases suivantes en plaçant les adjectifs entre parenthèses avant ou après le nom. Faites les accords nécessaires.

    Exemple : À la naissance de notre fille, nous avons pris des photos (bon).

        À la naissance de notre fille, nous avons pris de bonnes photos.

a. Elle a reçu en cadeau des robes (joli) et des jupes (beau).

→ ....

b. Je ne me lassais pas de la regarder des heures (long).

→ ....

d. Au cours des premiers mois de sa vie, elle a eu des problèmes (grave) de santé.

→ ....

e. Son frère faisait des efforts (gros) pour ne pas être jaloux.

→ ....

f. Chaque fois que nous lui donnions son bain, elle nous faisait des sourires (merveilleux).

→ ....

g. Quand elle entendait la sonnette de l'entrée, elle poussait des cris (horrible).

→ ....

h. Chaque soir, son frère lui lisait des livres (passionnant).

→ ....

52 Adjectifs possessifs. Complétez ces différents faire-part ou invitations avec l'adjectif possessif qui correspond.

   Exemple :   Patrick est heureux de vous annoncer la naissance de **sa** petite sœur Océane.

a. Colette a la douleur de vous faire-part du décès de .... père le 16 janvier 2004.

b. Madame et Monsieur Cotillon ont la joie de vous annoncer le mariage de .... fille Anne-Marie avec Jacques Delatourquipenche.

c. Paul Hauchon vous invite à .... pendaison de crémaillère. Samedi 31 janvier à partir de 20 heures. Venez déguisé(e)s ainsi qu'avec .... bonne humeur et .... jeux de mots !

d. .... amour, je t'attendrai pour .... mariage au pied de l'autel comme prévu ! N'oublie pas de mettre .... superbe robe blanche, ... chaussures blanches à talon ni de prendre .... bouquet multicolore. J'ai .... alliances ! .... fiancé.

e. .... chères amies, je vous invite à .... enterrement de vie de jeune fille, vendredi prochain. Pour plus d'informations sur le déroulement de la soirée, contactez .... sœur ! Christine

f. Monsieur Gérard Plantin, ... époux, Jeanne et Pierre Plantin et .... enfants, Caroline et Patrick Dubois et .... enfant, ... enfants ont la douleur de vous faire-part du décès de Suzanne Plantin, née Castillo, dans sa 81e année à Clamart (92), jeudi 18 décembre 2003.

g. Chères cousines et chers cousins, ... grands-parents vont fêter .... noces d'or le 25 mai prochain. J'aimerais que nous leur organisions une fête surprise. J'attends donc .... idées et .... aide pour cette grande journée. Contactez-moi vite ! Alexia

h. À l'occasion de la sortie de .... livre : *Être grands-parents de nos jours*, Marcel Biron sera présent à la librairie Le Bateau-Livre, ce mardi 24 octobre, pour le dédicacer. Venez nombreux !!

53 Pronoms possessifs. Complétez ces dialogues à l'aide des pronoms possessifs qui conviennent.

Deux cousines, qui partagent un appartement, discutent...

– Dis-moi, Anne-Laure, tu prends ta voiture pour la pendaison de crémaillère de Paul ?

– Non, elle est chez le garagiste jusqu'à lundi prochain.

– Mais... Tu ne peux pas demander à tes parents de te prêter **la leur** ?

– Ben, tu sais ... je ne sais pas comment sont **(1)** .... mais **(2)** ...., pour qu'ils me prêtent leur voiture, il faut que je me lève de bonne heure !!

– Ce n'est pas grave ! Je demanderai à ma sœur. Elle nous prêtera **(3)** .... et nous pourrons aller à la soirée !!

– Super !! Dis donc... Pascal et Jean n'ont pas encore téléphoné pour les déguisements ?

– Non. Pourquoi ? Nous devons leur confectionner leurs déguisements ?

– Non, au contraire, ils doivent faire **(4)** ....

– Très bien comme cela, on est sûres de gagner le 1er prix ! Vivement samedi !

Préparatifs de mariage.

– Ma chère future belle-fille, j'aimerais que nous dressions la liste des invités pour votre mariage. Qui allez-vous inviter ?

– Les membres de ma famille, et ceux de Jacques. Mes amis les plus proches et **(5)** ……… ……… Ne vous inquiétez pas ! Vous pourrez aussi inviter **(6)** ……………, chère belle-maman.

– Mais je ne m'inquiète aucunement. Qui vous conduira en voiture jusqu'à l'église ? Votre frère ou le frère de Jacques ?

– **(7)** ……………… Il est déjà tellement fier d'avoir la possibilité de conduire cette voiture de luxe… et sa sœur !

– Très bien. Quel argent servira à régler les dépenses pour ce mariage ? Votre argent, celui de vos parents ou **(8)** …………… ?

– Le vôtre, bien sûr !!!!

---

54 *Nouvelles structures familiales.* **Écoutez et complétez le texte suivant.**

En 1999, 2,7 millions de jeunes de moins de 25 ans vivent au sein d'une famille **monoparentale** et 1,1 million avec un **parent** et un **beau-parent**. Ces derniers ont souvent d'abord vécu au sein d'une **(1)** ………………… car plusieurs années s'écoulent en général entre la rupture du **(2)** ……………… et la formation d'une nouvelle **(3)** ………… Les parents ayant formé celle-ci peuvent avoir des enfants avec leur nouveau **(4)** ………… Ces enfants vivent alors avec leurs deux parents et cohabitent avec leurs **(5)** ………………………… Ces **(6)** ………………… comprennent alors des enfants nés d'une union précédente et des enfants du nouveau couple. Ainsi, au 1,1 million d'enfants vivant avec un parent et un beau-parent s'ajoutent les 513 000 enfants vivant en 1999 avec leurs deux parents et des demi-frères ou des demi-sœurs. Sont ainsi concernés par la **(7)** ………………… 1,6 million d'enfants.

Ce sont donc en 1999, au total 4,3 millions d'enfants, soit à peu près trois enfants sur dix vivant en famille, qui ne vivent pas dans une famille **(8)** « …………… ».

Sources : enquêtes « Étude de l'histoire familiale », 1990 et 1999, Insee.

---

55 **Reliez la situation qui correspond aux phrases proposées.**

a. Ils sont allés le chercher au Vietnam.   1. C'est un enfant renié.

b. Il l'a eu en dehors du mariage.   2. C'est un enfant adoptif.

c. Elle l'a eu d'un premier mariage.   3. C'est un enfant unique.

d. Il l'a receuilli pendant l'hiver.   4. C'est un enfant naturel.

e. Il a 4 ans et il sait déjà lire !   5. C'est un enfant légitime.

f. Ils l'ont eu 9 mois après leur mariage.   6. C'est un enfant trouvé.

g. Ses parents l'ont déshérité et ne veulent plus le voir.   7. C'est un enfant prodige.

h. Il n'a ni frère ni sœur.   8. C'est un enfant d'un premier lit.

56 **Complétez à l'aide des mots :** *célibataire, marié, union, pacser, mariage, PACS, célibat, contrat, divorcer.*

> **Exemple :** Quand vous êtes **célibataire**, plusieurs modes de vie s'offrent à vous :

Si vous êtes très pieux, vous pouvez rentrer dans les ordres et faire vœux de **(1)** .... Si vous aimez quelqu'un, vous pouvez choisir de vivre en **(2)** .... libre avec cette personne quelques temps, puis de « régulariser » votre situation en faisant un beau **(3)** .... devant Monsieur le Maire. Vous pouvez aussi choisir le **(4)** .... qui est un **(5)** .... permettant à deux personnes, quel que soit leur sexe, d'organiser leur vie commune. Mais attention ! Si vous êtes déjà **(6)** ...., vous ne pouvez pas vous **(7)** .... Vous devez d'abord **(8)** ....

57 **La comparaison. Expression de la supériorité. Complétez les phrases suivantes avec** *plus de... (que), plus... (que), plus (que)..., davantage, mieux et meilleur(e).*

> **Exemple :** Depuis la Deuxième Guerre mondiale, les personnes désireuses de vivre en couple ont **plus de** choix dans leur façon de vivre à deux **qu'**auparavant.

a. Dans les années cinquante-soixante, le nombre de mariages était beaucoup .... élevé .... maintenant et les futurs époux se mariaient .... jeunes.

b. Même si, à cette époque, le mariage était le modèle dominant, il coexistait avec une forme .... moderne de vie de couple : la cohabitation. Celle-ci concernait .... les personnes veuves ou divorcées .... les jeunes célibataires.

c. Dans les années soixante-dix, la cohabitation est devenue « un mariage à l'essai », ce qui permettait au couple de se connaître .... et d'avoir une .... vision de la vie à deux.

d. Ainsi, si un heureux événement arrivait, ils étaient .... armés et pouvaient se marier en ayant .... conscience de ce qui les attendait.

e. C'est seulement dans les années quatre-vingts que l'union libre s'est vraiment imposée et que les jeunes ont préféré ce mode de vie. Ils trouvaient que c'était beaucoup .... de vivre ainsi .... de se marier.

f. C'est à partir de cette même période qu'il y a eu .... divorces .... de mariages. Le nombre de mariages n'a fait que diminuer depuis, alors que le nombre de divorces a augmenté.

g. À l'heure actuelle, on constate que les divorces sont .... fréquemment prononcés au début de vie conjugale.

h. En l'an 2000, les maires ont célébré .... mariages. Ces mariages concernaient .... des couples âgés avec des enfants ou des personnes ayant déjà été mariées .... de jeunes célibataires.

58 **La comparaison. Expression de l'égalité.** *Les parents de Sébastien ont divorcé, il compare la vie chez son père avec la vie chez sa mère.* **Transformez ces phrases en utilisant :** *aussi... que, autant que..., autant de... que.*

> **Exemple :** Je/rire/avant **Je ris autant qu'avant.**

a. Je / s'amuser / avec mon père / avec ma mère.

→ ....

b. Deux maisons, ce / ne pas être compliqué / cela.

→ ....

c. Chaque maison / avoir / les pièces.

→ ....

d. Elles / être / lumineuse / l'une que l'autre.

→ ....

e. Mes parents / ne plus se disputer / avant.

→ ....

f. Je /avoir / le temps /avant. → ....

g. Je / voir mes parents / souvent/ avant. → ....

h. Je / avoir / les amis / avant. → ....

59 **La comparaison. Expression de l'infériorité.** *Sébastien continue de parler de sa nouvelle vie.* **Transformez les phrases suivantes à l'aide de :** *moins… que, moins de… que, moins que…*

Exemple : Ma mère / travailler / avant ***Ma mère travaille moins qu'avant.***

a. Mon père / disponible / ma mère. → ....

b. Nous / avoir / la complicité / avant. → ....

c. Ils / être / irritable / avant. → ....

d. Je / être / introverti / avant. → ....

e. Mon père / me donner / les conseils / avant. → ....

f. Je / les respecter / avant. → ....

g. Ils / me gronder / avant. → ....

h. Nous / être / uni / avant. → ....

60 **La comparaison. Transformez ces phrases en utilisant :** *plus… plus…, moins… moins…, autant… autant…, plus… moins…, moins… plus…, d'autant plus… que, d'autant moins… que* **(attention parfois plusieurs possibilités).**

Exemple : Le nombre des divorces augmente. Le nombre des mariages recule.

Plus le nombre des divorces augmente, plus le nombre des mariages recule.

a. Je comprends la finalité du mariage mais je n'arrive pas à comprendre celle du Pacs.

→ ....

b. L'incompréhension et les disputes régneront au sein du couple. Les enfants seront heureux. → ....

....

c. Je crie assez fort sur mes enfants quand ils font une bêtise mais je ne lèverai jamais la main sur eux. → ....

....

d. Il est heureux : il ne se manifeste pas, on ne fait pas attention à lui.

→ ....

e. Les enfants sont contents de la décision du juge. Ils pourront vivre une semaine sur deux chez leur père. → ....

....

f. Tu l'attaqueras. Tu auras de la chance d'obtenir la garde des enfants.

→ ....

g. Elle n'est pas satisfaite du montant de la pension qui s'élève à 800 €. Elle aura la garde de ses six enfants. → ....

....

h. Il gagnera de l'argent. Ce sera difficile pour lui de verser à son ex-femme sa pension alimentaire. → ....

....

61 | **La similitude. Complétez les phrases suivantes avec les mots proposés :** *identiques, le même / les mêmes, comme si, similaire, comme, pareille, de même que, tels que.*

> *Exemple :* Pour établir notre contrat de mariage, nous avons pris **le même** notaire que pour l'achat de la maison.

a. Que nous soyons mariés, pacsés ou en union libre, au quotidien les problèmes sont ....

....

b. Tous mes enfants ont une voix .... à celle de leur père, je me trompe toujours quand ils me téléphonent.

c. .... il s'est battu pour avoir la garde de ses enfants, il se battra pour obtenir une aide financière de l'État.

d. Elle s'était vêtue avec élégance pour le procès, son mari l'a regardée .... c'était la première fois qu'il la voyait.

e. Nous avons divorcé dans des conditions .... aux vôtres.

f. Je suis .... vous : je suis divorcée et j'ai deux enfants. Marions-nous !

g. Nous allons vous communiquer les résultats de notre enquête sur le mariage en France .... nous les connaissons à ce jour.

h. C'est incroyable ! Je n'ai jamais vu une décision de justice .... !

62 | **La comparaison. Reliez pour trouver les expressions fréquemment utilisées pour apporter des précisions sur une personne.**

a. Dormir comme   1. quatre.
b. Parler comme   2. un arracheur de dents.
c. Pleurer comme   3. un loir.
d. Manger comme   4. deux gouttes d'eau.
e. Nager comme   5. un livre.
f. Se ressembler comme   6. un poisson.
g. Mentir comme   7. un chien dans un jeu de quille.
h. Arriver comme   8. une Madeleine.

63 La comparaison. Complétez ce texte en utilisant les expressions de l'exercice précédent.

J'avais été séduite car il **(1) *parlait comme un livre***, le jour de notre rencontre. Puis j'avais été impressionnée par son appétit : il **(2)** .... Un peu plus tard, nous sommes allés à la piscine et j'ai vu qu'il **(3)** .... Alors, nous nous sommes mariés. Le jour de notre mariage, j'ai été présentée à son frère. Ils **(4)** .... Mais c'est à partir de ce jour que je l'ai vraiment connu ! Il ne travaillait pas et il ne me l'avait jamais avoué. Il passait ses journées à **(5)** .... Le soir, quand je revenais, il me racontait sa journée de « travail ». Trois mois après notre mariage je me suis rendue compte qu'il m'avait **(6)** .... depuis le début. Je ne l'ai pas supporté alors j'ai **(7)** .... Un jour, nous étions en train d'avoir une violente dispute quand son frère est **(8)** .... pour s'installer chez nous. Le lendemain j'ai demandé le divorce.

64 La comparaison. À l'aide du tableau ci-contre, commentez ces données en introduisant tous les degrés de comparaison (supériorité, égalité, infériorité).

	1985	2000	2001
Population	55 284 300	58 893 000	59 190 600
Naissances	768 400	774 800	774 800
Décès	552 500	536 300	528 000
Mariages	269 400	305 000	303 500
Âge moyen lors du premier mariage :			
– pour les hommes	26,4	30	30
– pour les femmes	24,2	28	28
Espérance de vie à la naissance des hommes	71,2	75,2	75,6
Espérance de vie à la naissance des femmes	79,4	82,7	83

*Exemple : **L'espérance de vie des hommes a plus augmenté en 20 ans que celle des femmes.***

....
....
....
....
....
....
....
....

B. HISTOIRES DE FAMILLE

65 | Reliez ce qui est souligné aux mots équivalents.

a. Tous les soirs, avant de nous coucher, mon grand-père nous racontait plusieurs <u>histoires</u>.

b. Notre oncle Pierre nous fait toujours beaucoup rire avec ses <u>histoires</u>.

c. Elle ne croit plus ce que lui dit son frère, car il lui raconte toujours des <u>histoires</u>.

d. Leur voyage de noces s'est déroulé sans <u>histoire</u>.

e. Ils ne se sont plus revus pour une <u>histoire</u> d'argent.

f. Mon père ? Pour le rencontrer, c'est <u>toute une histoire</u> !

g. Quand j'étais petit, il m'est arrivé une drôle d'<u>histoire</u>.

h. Dans l'histoire de France, ce qu'il aime ce sont les <u>petites histoires</u> qui concernent les Rois.

1. blagues
2. contes
3. question
4. aventure
5. compliqué
6. mensonges
7. anecdotes
8. ennuis

66 | Complétez les phrases à l'aide des mots : *linge, esprit, secret, jeune homme, air, médecin, chef, maison, livret.*

Exemple : Le jour du mariage, le Maire donne aux mariés leur *livret* de famille.

a. Depuis des générations, notre .... de famille est bien gardé.

b. Mes parents ont accepté mon mariage avec Omar, car c'est un .... de bonne famille.

c. C'est bien d'avoir l'......... de famille, surtout dans les moments difficiles.

d. À l'heure actuelle, il est bien difficile de savoir, dans un ménage, qui est le .... de famille !

e. Hier, j'ai rencontré un cousin que je ne connaissais pas. Nous avons vraiment un .... de famille.

f. Je suis très triste, car à la mort de ma grand-mère nous avons dû nous séparer de notre .... de famille.

g. Même si je dois faire beaucoup de kilomètres, je continue à aller consulter notre .... de famille.

h. Marie est enceinte ; mais elle n'est pas mariée. Je ne veux pas que ça se sache : lavons notre .... sale en famille !!

67 | Notez si les personnes réunies en priorité lors de ces rencontres sont de la famille (F) ou des amis (A)

a. une promotion ( )

b. un anniversaire ( )

c. un mariage ( )

d. une communion ( )

e. le Nouvel An ( )

f. un enterrement de vie de jeune fille ( )

g. des Noces d'Or ( )

h. Noël ( )

68 | **Passé composé. Complétez le texte suivant avec le participe passé du verbe entre parenthèses (faites l'accord si nécessaire).**

Exemple : À Noël, j'ai **organisé** (organiser) une réunion de famille.

a. Nous avons .... (boire) beaucoup de champagne à l'apéritif.

b. Devant l'arbre illuminé, nous avons .... (chanter) solennellement des chants de Noël.

c. Les plus jeunes ont .... (avoir) du mal à ne pas ouvrir les cadeaux pendant les chants.

d. Ensuite, nous les avons tous .... (ouvrir).

e. Certains cadeaux ont .... (plaire) immédiatement, d'autres moins.

f. Mon grand-père a .... (rire) en ouvrant le sien.

g. Un cousin a .... (prendre) une photo de groupe.

h. Une fois de plus, nous avons .... (ressentir) un immense bonheur d'être réunis !

69 | **Passé composé. Complétez avec l'auxiliaire** *être* **ou l'auxiliaire** *avoir*.

Exemple : La semaine dernière, je **suis** passé chez ma grand-mère pour lui dire bonjour.

a. Mais elle .... voulu me garder pour le thé. J'y .... donc resté.

b. Nous étions en train de discuter tranquillement quand ma grand-mère .... montée au grenier sans raison.

c. Elle en .... redescendu un grand coffret poussiéreux. Ce coffret contenait des photos. J'étais très curieux !

d. Elle en .... pris une, l'a retournée pour voir la date au dos.

e. Sans quitter la photo des yeux, elle .... sorti son mouchoir et .... sangloté. C'était une photo où elle et son mari étaient en train de manger des marrons glacés.

f. Après quelques instants, elle .... sortie du salon et .... revenue avec le thé comme si de rien n'était.

g. Nous .... passé le reste de l'après-midi à regarder ses souvenirs d'un autre temps.

h. J'y .... retourné hier avec une boîte de marrons glacés !

70 | **Accord du participe passé. Rayez ce qui ne convient pas.** *Une mère s'adresse à sa fille.*

Exemple : Carole, quand tu m'as ~~appelé~~ / appelée pour me dire que tu étais enceinte, j'ai été ravie.

a. Je t'ai proposé / proposée de t'accompagner visiter des cliniques. Celle que tu as choisi / choisie se trouvait à Versailles.

b. Tu y es allé / allée pour les échographies et la préparation à l'accouchement. Combien d'heures as-tu attendu / attendues dans cette clinique ? Des heures !

c. Pendant toute ta grossesse, je t'ai consacré / consacrée énormément de temps puisque ton mari était souvent en déplacement. Ces heures, nous les avons passé / passées ensemble dans une certaine complicité. Te rappelles-tu ?

d. Mais un jour, nous avons eu une légère dispute au sujet des prénoms comme Léontine ou Lucienne qui m'ont paru / parue... vieillots ! C'est donc une décision que vous avez préféré / préférée prendre seuls.

e. Les douleurs que tu as eu / eues le jour de l'accouchement ont vite disparu quand tu as vu ton bébé. Quelle belle fille tu as mis / mise au monde !

f. Ma première visite à la clinique a été très émouvante. Ta fille a fait tous les efforts qu'elle a pu / pus pour me séduire. Cela a marché ! Elle m'a séduit / séduite dès le premier regard.

g. Les gazouillis que j'ai entendu / entendus prononcer étaient tout à fait charmants et m'ont conquis / conquise immédiatement.

h. Peu de temps après ton retour à la maison, ton mari nous a accompagné / accompagnées pour choisir les faire-parts. Nous en avons rempli / remplis 100, annonçant la naissance de Lucienne ! La patience qu'il nous a fallu / fallue pour tous les écrire !

21 | **Les verbes pronominaux. Notez si le verbe pronominal est réfléchi (RF) ou réciproque (RC).**

   Exemple :   Il s'est regardé dans le miroir. (*RF*)

a. Elles se sont réveillées avant tout le monde. (   )

b. Ils se sont réunis pour commémorer le jour de leur victoire. (   )

c. Elles se sont appréciées bien avant de se connaître. (   )

d. Ils se sont amusés en préparant son cadeau. (   )

e. Elles se sont menti. (   )

f. Elles se sont arrêtées de boire de l'alcool deux heures avant de prendre la route. (   )

g. Ils se sont souri poliment. (   )

h. Nous nous sommes rencontrés en décembre. (   )

22 | **Accord du participe passé avec les verbes pronominaux. Complétez le texte suivant en mettant les verbes entre parenthèses au passé composé (attention à l'accord du participe passé !)**

La première fois que ma sœur et ma femme *(1)* .... (se rencontrer), c'était au moment des préparatifs pour mon mariage. Cette rencontre a été une révélation pour elles ! Elles *(2)* .... (se rendre compte) qu'elles avaient beaucoup de points communs. Donc, elles *(3)* .... (bien s'entendre). Comme nous sommes allés nous installer à l'étranger, il n'y avait que l'écriture qui leur permettait de rester en contact, le téléphone étant trop cher. Elles *(4)* .... (s'écrire) des lettres et des lettres jusqu'à la naissance de notre fils. Ce jour-là, elles *(5)* ... . (s'appeler) assez longuement. Je ne sais pas ce qu'elles *(6)* .... (se dire), mais cela ne devait pas être très agréable car elles *(7)* .... (ne plus se parler) depuis et *(8)* .... (ne pas se réconcilier) non plus ! Ce sont de vraies têtes de mules !!

23 | **Accord du participe passé avec les verbes pronominaux. Rayez le participe passé qui ne convient pas.**

   Exemple :   La première fois qu'ils ~~se sont vu~~ / se sont vus (se voir), ils se sont plu / ~~plus~~ (se plaire) immédiatement.

a. Elles étaient en panne à 1 km l'une de l'autre, un soir de Noël. Dès qu'on les a prévenues elles se sont porté secours / portées secours (se porter secours).

b. Elles se sont téléphoné / téléphonées (se téléphoner) pour se donner des nouvelles de la famille.

c. Elle s'est lavé / lavée (se laver) les mains avant de rejoindre tout le monde dans la salle à manger pour le réveillon.

d. Les cadeaux qu'elles se sont offerts / offertes (s'offrir) coûtaient très chers.

e. Nous nous sommes porté volontaires / porté(e)s volontaires (se porter volontaires) pour organiser la fête.

f. Pour pouvoir réunir leurs enfants et petits-enfants au complet, ils se sont fait / faits (se faire) construire une grande pièce supplémentaire.

g. Après le décès de son époux, elle s'est laissé / laissée (se laisser) mourir.

h. Le lendemain du Nouvel An, elle s'est cru / crue (se croire) malade tellement elle avait bu et mangé !

24 | **Valeurs de l'imparfait. Reliez les phrases suivantes à la valeur de l'imparfait correspondante.**

a. Nous voulions vous informer que vous êtes tous invités aux Noces d'or de Papy et Mamy. ─────

b. Si tu étais à ma place, tu réunirais la famille pour leur annoncer la nouvelle ?

c. Tous les ans, pour son anniversaire, sa mère l'appelait à 15 heures.

d. Ah ! Si je pouvais communiquer avec mes enfants !

e. Et si on rendait visite à nos cousins de Bretagne ?

f. À deux minutes près, il ratait son propre mariage !

g. Elle m'a expliqué que vous ne vouliez pas en parler devant vos parents.

h. Notre maison familiale se trouvait en Touraine. Un immense parc l'entourait. Il y poussait de magnifiques arbres.

1. habitude dans le passé
2. description
3. proposition
4. irréel du présent
5. regret
6. imparfait de politesse
7. irréel du passé
8. discours rapporté

25 | **Imparfait. Complétez ces phrases en mettant à l'imparfait les verbes entre parenthèses.**

Exemple :   C'*était* (être) en hiver, nous *finissions* (finir) d'emménager dans notre nouvelle maison.

a. Les travaux .... (occuper) une grande partie de notre temps.

b. Les enfants, emmitouflés, ... (s'amuser) avec la luge derrière la maison.

c. Je .... (vouloir) que tout soit parfait.

d. Au goûter, nous .... (manger) des tartines de beurre et nous .... (boire) de grands bols de cacao chaud.

e. Votre fils nous .... (prendre) en photo sous toutes les coutures.

f. Le soir, il .... (faire) très bon devant la cheminée.

g. Vous .... (ne pas pouvoir) être avec nous à ce moment-là. Quel dommage !!

h. On .... (ne jamais s'endormir) avant minuit.

26 Imparfait/Passé composé. Rayez le temps qui ne convient pas.

Exemple : Quand elle est née, son père avait / ~~a eu~~ 50 ans.

a. Pour son anniversaire, chaque fois qu'elle arrivait dans la cuisine, sa famille lui criait / crié : « Joyeux anniversaire ! »

b. Le jour de sa réussite au baccalauréat, ses parents la félicitaient / l'ont félicitée.

c. Quand elle a eu sa promotion, elle ouvrait / a ouvert une bouteille de champagne.

d. Quand elle a retrouvé ses copines pour son enterrement de vie de jeune fille, elle appréhendait / a appréhendé vraiment cette soirée.

e. Son père, qui était le maire du village, la mariait / l'a mariée.

f. Après avoir dit oui, ils s'embrassaient / se sont embrassés.

g. Ils se sont éclipsés pendant que les invités dansaient / ont dansé.

h. Le lendemain de son mariage, elle regrettait / a regretté déjà de s'être mariée !

27 Imparfait /Passé composé. Transformez ce texte au présent en utilisant l'imparfait ou le passé composé (attention à l'accord du participe passé).

> C'est le printemps. Les arbres sont en fleurs. Nous marchons dans un magnifique parc situé non loin du centre-ville. De nombreuses familles s'y promènent également tout en respirant le parfum si particulier du début du printemps. Un peu fatiguées par cette promenade, nous voulons trouver des chaises dans une zone ombragée. Nous les trouvons et nous y installons. Nous parlons de choses et d'autres quand elle ose enfin me demander mon opinion sur son prochain mariage avec cet homme beaucoup plus âgé qu'elle. Je suis évidemment embêtée pour lui répondre, mais je prends mon courage à deux mains et lui avoue que cela me choque étant donné qu'il a l'âge d'être son père ! Elle ne s'en formalise pas et nous reprenons notre conversation sur ma vie professionnelle.

C'était le printemps. ....

....

....

....

....

....

....

....

....

....

....

....

28 Le plus-que-parfait. Complétez ces phrases en mettant au plus-que-parfait les verbes entre parenthèses.

> *Exemple :* J'avais un oncle d'Amérique. Il ***n'avait jamais été*** (ne jamais être) vraiment riche jusqu'à ce qu'il invente sa machine à rêver, il y a une trentaine d'années.

a. Après, il .... (devenir) célèbre sans s'en rendre compte.

b. Il .... (pouvoir) voyager en avion, en bateau, en train dans le monde entier.

c. Il .... (rencontrer) sa femme lors d'un de ses voyages.

d. Puis, ils .... (se marier) en invitant des personnalités du show-biz et du monde politique.

e. Sa femme .... (mourir) 2 ans après leur mariage mais ....
(ne pas lui donner) d'enfants.

f. Il .... (ne jamais passer) par les Cévennes dans ses nombreux voyages et donc .... (ne jamais me voir).

g. Mais il .... (quand même rédiger) son testament en ma faveur comme j'étais son unique nièce.

h. Dans mes rêves les plus fous, je .... (ne jamais imaginer) que je pourrais devenir si riche ! C'est pourquoi, lorsque le notaire m'a téléphoné le mois dernier, j'ai cru que c'était une blague !

29 Les temps du passé. Complétez ce texte en mettant les verbes entre parenthèses au passé composé, imparfait ou plus-que-parfait.

> *Exemple :* Cela ***faisait*** (faire) plusieurs jours qu'elle ***soupçonnait*** (soupçonner) son mari de la tromper.

a. Sa décision .... (être) prise. Elle .... (aller) engager un détective privé.

b. Son amie Françoise lui en .... (conseiller) un qu'elle ....
(déjà engager) pour son propre divorce.

c. En prévision de son rendez-vous avec ce détective, elle .... (recueillir) quelques informations utiles.

d. Elle .... (devoir) le retrouver au Café de la Paix à 14 heures précises, sa secrétaire lui .... (donner) ce rendez-vous.

e. Elle .... donc .... (s'y rendre). Quand elle .... (entrer), elle ....
(le remarquer) immédiatement.

f. Elle le .... (voir) de dos. Il .... (ressembler) à un détective de vieux film américain. C'......... (être) étrange !

g. Elle .... (s'approcher) de sa table. Horreur ! C'......... (être) son époux déguisé.

h. Mais que .... (faire)-il là ? Elle ne .... (pouvoir) plus faire machine arrière. Alors elle .... (s'asseoir) en face de lui et .... (attendre) qu'il parle.

80 Les temps du passé. À partir de l'exercice 79, imaginez ce que le mari peut expliquer à sa femme dans ce café. (Comment a-t-il su qu'elle viendrait là ? Pourquoi s'est-il fait passer pour le détective ?...)

Tu es surprise de me voir mais je vais tout t'expliquer : ....

....

....

....

....

....

....

....

....

....

....

....

81 Les temps du passé. Écoutez ce dialogue et notez si les affirmations suivantes sont vraies (V) ou fausses (F).

Exemple : Monsieur Martin a toujours voulu connaître l'histoire passée de sa famille. (*F*)

a. Un de ses ancêtres est arrivé à Paris en 1680. (   )

b. L'arrivée de ses petits-enfants n'a rien changé à sa manière de voir la vie. (   )

c. Il pense être le lien entre le passé et le futur de sa famille. (   )

d. Il a commencé ses recherches en compulsant les registres d'état-civil. (   )

e. Les anciens de sa famille ne se rappelaient plus de rien. (   )

f. Il a terminé son arbre généalogique en 5 ans. (   )

g. Ses recherches l'ont conduit dans d'autres pays que la France. (   )

h. Ses enfants ne comprennent pas pourquoi il fait des recherches généalogiques.(   )

Bilan

82 Complétez ce dialogue en mettant les verbes entre parenthèses au temps du passé qui convient.

– Alors comment (se passer) *s'est passée (1)* la fête pour les 90 ans de ta grand-mère ?

– C'(être) .... *(2)* génial ! Les quatre générations (se retrouver) .... *(3)* pour partager un moment exceptionnel !

– Qui (organiser) .... *(4)* cette journée ?

– Un peu tout le monde ! Nous (se téléphoner) .... beaucoup .... *(5)* pour tout mettre au point. Mes tantes (s'occuper) .... *(6)* du traiteur. Ma mère (préparer) .... **(7)** la décoration de la salle et des tables. Les petits-enfants (apprendre) .... **(8)** par cœur des scènes d'une pièce de théâtre que ma grand-mère (jouer) .... **(9)** quand elle (être) .... **(10)** jeune...

– Vous (offrir) .... **(11)** un cadeau à ta grand-mère ?

– Non, plusieurs ! Nous (donner) .... **(12)** à notre chère Mamy un meuble ancien, une chaîne hi-fi avec un tourne-disque pour 33 Tours et un livre fait-maison !

– Un livre fait-maison ???

– C'est un livre dont chaque page (être conçu) .... **(13)** par les membres de la famille. Ma mère (contacter) .... **(14)** chaque invité en lui donnant les caractéristiques de la page et ensuite l'invité (écrire) .... **(15)**, (coller) .... **(16)** ou (dessiner) .... **(17)** ce qui lui (rappeler) .... **(18)** le plus ma grand-mère.

– Ce livre (émouvoir) .... sûrement .... **(19)** ta grand-mère ?

– Bien sûr, certaines personnes (coller) .... **(20)** des photos qu'elle (ne pas voir) .... **(21)** depuis longtemps. C'(être) .... **(22)** émouvant pour ma grand-mère mais pour nous aussi !

83 Transposez le texte suivant au passé à l'aide du passé composé, de l'imparfait et du plus-que-parfait.

Pascale et Jean se marient. Tout le monde est là. Il y a les tantes, les cousins, les oncles... Lorsqu'ils arrivent à l'église, les témoins s'aperçoivent qu'ils ont oublié les alliances.
Un ami va rapidement les chercher et tout se passe bien. Après la cérémonie, il y a une fête. Les invités boivent et mangent. Il y a un orchestre qui joue de la musique. Au moment où la mariée veut danser, un verre de jus de fruits se renverse sur sa robe blanche et elle se met à pleurer. Finalement, après une heure dans la salle de bains, elle ressort et sa robe est presque immaculée. À la fin de la journée, les invités rentrent peu à peu chez eux et les jeunes mariés peuvent considérer que tout s'est bien passé.

Pascale et Jean se sont mariés. ....
....
....
....
....
....
....
....
....
....

III. LES ARTS VISUELS

84 Complétez à l'aide des adjectifs qui conviennent.

Exemple : Pour l'architecture, on parle d'œuvre **architecturale**.

a. En peinture, l'œuvre est ....

b. Pour le cinéma, on parle d'œuvre ....

c. En musique, l'œuvre est ....

d. En photographie, il s'agit d'œuvre ....

e. Pour la sculpture, on parle d'œuvre ....

f. En littérature, on parle d'œuvre ....

g. Au théâtre, l'œuvre est ....

h. Pour la poésie, l'œuvre est ....

85 Complétez les mots suivants à l'aide du son [ar].

Exemple : l'**art**

a. une guit.........   e. une bag.........

b. un can.........   f. verser des ....

c. quelque p.........   g. un cauchem.........

d. l'.........monie   h. le j.........

A. LA PEINTURE

86 Complétez les phrases suivantes à l'aide des mots proposés : *musées, plastiques, chef d'œuvre, collectionneur, galerie, talent, critique, vernissage, exposition.*

Exemple : J'adorais les cours d'arts **plastiques** quand j'étais enfant.

a. Cet artiste est formidable. Il a un .... fou !

b. Il achète des dizaines de tableaux chaque année. C'est un grand ....

c. Il y a une .... de Matisse au Grand-Palais. Tu veux venir avec moi ?

d. Élodie va faire sa première exposition. Le .... aura lieu vendredi.

e. – Où ça ? – Dans une .... près de chez moi.

f. Cette peinture est un véritable .... Je suis bouleversée !

g. Quelle est votre profession ? Je suis .... d'art.

h. J'adore visiter les .... le week-end.

87 La nominalisation : base verbale. Retrouvez les noms qui correspondent aux verbes proposés.

Exemple : peindre : **une peinture**

a. encadrer : un ....   e. installer : une ....

b. restaurer : une ....   f. exposer : une ....

c. faire : une ....   g. voler : un ....

d. accrocher : un ....   h. vieillir : un ....

88 | Reliez les définitions aux noms proposés.

a. un support pour une œuvre peinte ———————————————┐ 1. un modèle
b. une petite plaque qui permet au peintre de mélanger les couleurs ⟍ 2. une palette
c. une personne ou un objet dont on reproduit l'image   3. un chevalet
d. un manche et des poils pour appliquer la peinture sur la toile   4. un pinceau
e. un dessin exécuté rapidement   5. un cadre
f. un trépied sur lequel est posé un tableau   6. une toile
g. une bordure qui entoure un tableau   7. un vernis
h. un produit transparent appliqué sur un tableau pour le protéger 8. un croquis

89 | Le passif. Soulignez les phrases de sens passif.

Exemple : Cette œuvre s'est vendue un million d'euros !

a. Ils se sont fait prêter un atelier.
b. Paola s'est acheté une toile de maître.
c. J'ai fait encadrer ton œuvre !
d. Nos toiles seront présentées ce soir.
e. Il a voulu être modèle pour des artistes du quartier !
f. Le vernis s'était abîmé.
g. Ton travail a été très apprécié.
h. Je me suis fait du souci.

90 | La forme passive. Transformez ces phrases à la forme active.

Exemple : La toile est restaurée par des experts.
Des experts restaurent la toile.

a. Le tableau a été déplacé par le conservateur du musée.
→ ....

b. Les visiteurs seront invités par la direction du musée à revenir en janvier.
→ ....

c. Si cela avait été possible, la toile aurait été accrochée plus tôt par l'équipe.
→ ....

d. Notre travail va enfin être reconnu de tous !
→ ....

e. Je voudrais qu'elle soit considérée par les galeristes comme une artiste à part entière !
→ ....

f. L'encadrement de cette œuvre hors du commun avait été réalisé par des artisans italiens.
→ ....

g. Tu devrais être présenté à un collectionneur par ton agent !
→ ....

h. Il aura été retardé par un client !
→ ....

91 Transformez ces phrases actives à la forme passive.

Exemple : L'artiste étale la peinture sur la palette.

La peinture est étalée sur la palette par l'artiste.

a. Des amis peintres entourent Mélanie.

→ ....

b. Nous allons organiser une exposition.

→ ....

c. Le collectionneur a regardé attentivement les croquis.

→ ....

d. Le temps avait endommagé le vernis.

→ ....

e. La propriétaire du domaine exposera les toiles.

→ ....

f. On aurait dû fermer les salles au public.

→ ....

g. Quand tout aura été repeint, on accrochera des tableaux.

→ ....

h. Si le public t'appréciait, tu serais riche.

→ ....

92 Rédigez des phrases pour un article de journal à partir des titres proposés en utilisan
la forme passive.

Exemple : Exposition Cézanne au musée d'Orsay.

**C'est la première fois que la totalité des œuvres de ce peintre est présentée a
public. Ainsi, les visiteurs sont invités à découvrir celui qui fut à l'origine d
cubisme.**

a. Découverte d'un Renoir dans un grenier. → ....

....

b. Restauration prochaine de la Joconde. → ....

....

c. Achat exceptionnel à Pont-Aven. → ....

....

d. Pertes inestimables dans l'incendie d'un musée. → ....

....

e. Arrestation d'un collectionneur trop passionné. → ....

....

f. Fermeture du musée de la Mer en janvier prochain. → ....

....

g. Destructions massives d'œuvres d'art par des vandales. → ....

....

h. Commande d'un portrait présidentiel. → ....

....

93 Choisissez entre *faire* ou *se faire* et complétez les phrases suivantes au passé composé.

　　Exemple :　Elles **ont fait** changer l'éclairage de la galerie.

　　　　　　　Elles **se sont fait** cambrioler.

a. Elle .... encadrer cette toile.

b. Ils .... prendre en photo devant le musée.

c. Je .... voler mon chevalet !

d. On .... faire des invitations pour le vernissage.

e. Tu .... copier ce portrait !

f. Vous .... avoir en achetant ça !

g. Il .... expulser du musée.

h. Nous .... restaurer la statue de l'entrée.

94 Transformez les phrases suivantes en utilisant des verbes pronominaux de sens passif.

　　Exemple :　La peinture est fabriquée avec des pigments et de l'huile.

　　　　　　　La peinture se fabrique avec des pigments et de l'huile.

a. L'œuvre a été vendue trois millions d'euros. ....

b. Le cadre a été cassé. ....

c. La collection va être déplacée en Espagne. ....

d. Les billets sont achetés au guichet. ....

e. Le musée n'est visité que le matin. ....

f. La documentation est lue facilement. ....

g. On dit « painting » en anglais pour dire « peinture ». ....

h. On voit cette statue de loin. ....

95 Complétez les phrases à l'aide des prépositions *par* ou *de*.

Hier soir, j'ai été invité **par** une amie à un vernissage. Quand je suis arrivé, elle était entourée **(1)** .... journalistes et je ne pouvais pas la saluer. J'ai fait un tour dans la galerie pour voir ses œuvres. Après ça, je me suis dirigé vers le buffet. Les canapés avaient été confectionnés **(2)** .... un grand traiteur. Ils étaient couverts **(3)** .... délicieuses crèmes et présentés avec soin dans de grands plats argentés. Comme je suis assez gourmand, j'ai commencé à goûter tout ce que je trouvais. C'est alors que je me suis fait abordé **(4)** .... une charmante vieille dame qui semblait respectée **(5)** .... tous les convives. Elle m'a demandé ce que je pensais des toiles exposées. Je ne savais pas très bien quoi lui répondre mais j'ai jugé préférable de ne pas être trop sincère. Les gens autour de nous se sont arrêtés de parler. Je me suis senti jugé **(6)** .... tous ces regards qui convergeaient vers moi. Fort heureusement, c'est à ce moment que j'ai été présenté **(7)** .... mon amie à la vieille dame. C'était la propriétaire de la galerie. Elle avait cru que j'étais un intrus qui voulait profiter du buffet. J'étais couvert **(8)** .... honte. J'ai décidé de ne plus jamais retourner à un vernissage !

96 Associez ces courants picturaux aux peintres qui les représentent.

a. impressionisme
b. cubisme
c. symbolisme
d. fauvisme
e. néo-classissisme
f. réalisme
g. surréalisme
h. pointillisme

1. Henri Matisse
2. Georges Braque
3. Gustave Courbet
4. Georges Seurat
5. Jacques Louis David
6. Claude Monet
7. René Magritte
8. Gustave Moreau

97 Exprimer ses goûts. Écoutez ces personnes et dites si elles aiment ce qu'elles voient.

Exemple : ☒ *Oui* – ☐ Non

a. ☐ Oui ☐ Non
b. ☐ Oui ☐ Non
c. ☐ Oui ☐ Non
d. ☐ Oui ☐ Non

e. ☐ Oui ☐ Non
f. ☐ Oui ☐ Non
g. ☐ Oui ☐ Non
h. ☐ Oui ☐ Non

98 La nominalisation : base adjective. Retrouvez les noms qui correspondent aux adjectifs proposés.

Exemple : curieux : *la curiosité*

a. émotif : l'................
b. faux : la ....
c. élégant : l'................
d. maladroit : la ....

e. franc : la ....
f. apte : l'................
g. lourd : la ....
h. charmant : le ....

99 *Exclamez-vous !* Complétez les exclamations suivantes par *quel(le)(s), comme, que de.*

Exemple : **Comme** c'est beau !

a. .... monde ici !
b. .... c'est intéressant !
c. .... il est maladroit ! Il a tout renversé.
d. .... franchise !
e. .... c'est laid !
f. .... maladresse dans ce tableau !
g. .... bel endroit pour une exposition !
h. .... efforts pour en arriver là !

100 Les pronoms interrogatifs. Écoutez et demandez des précisions à l'aide d'un pronom interrogatif.

Exemple : **Lequel ?**

a. ....
b. ....
c. ....
d. ....

e. ....
f. ....
g. ....
h. ....

101 Écoutez et notez les réponses aux questions de l'exercice précédent en utilisant les pronoms démonstratifs suivis d'un pronom relatif si nécessaire.

Exemple :   *Celui qui est à côté de la porte.*

a. ....

b. ....

c. ....

d. ....

e. ....

f. ....

g. ....

h. ....

B. LE CINÉMA

102 Reliez les genres cinématographiques aux commentaires des spectateurs.

a. film policier — 1. J'ai pleuré de rire pendant une heure et demie !

b. film d'action 2. Vingt minutes, c'est tout.

c. comédie 3. Sympa ce dessin animé !

d. film de science-fiction 4. C'était bien mouvementé.

e. film d'horreur 5. Un peu sanglant ce film !

f. comédie dramatique 6. Tu penses qu'il l'aimait vraiment ?

g. film d'animation 7. Je n'aimerais pas rencontrer un flic comme celui-là !

h. court-métrage 8. Tu crois que ça se passera réellement comme ça en 2050 ?

103 Rayez les mots qui ne sont pas liés au cinéma.

Exemple :   ~~un directeur~~ – un réalisateur

a. une caméra – un caméscope   e. des sous-titres – des gros-titres

b. un tournage – une tournée   f. une cascade – une bousculade

c. un découpage – un montage   g. des figures – des figurants

d. un double – un doublage   h. une séquence – une section

104 Les prépositions *à* ou *de*. Complétez les phrases suivantes.

Exemple :   Il nous a prévenu **de** son retard.

a. Elle a renoncé .... attendre devant le cinéma.

b. Nous nous intéressons beaucoup .... la carrière de cet acteur.

c. Je me suis adressé .... l'ouvreuse pour savoir à quelle heure commençait le film.

d. Tu te consacres .... l'écriture de scénarios ?

e. On a l'intention .... voir ce film en V.O.

f. Ils se sont moqués .... nous parce qu'on a vu un dessin animé.

h. Elle a tenu compte .... notre âge pour nous faire payer moins cher.

105 Les prépositions *à* ou *de*. Rayez ce qui ne convient pas.

    Exemple :   Je vous conseille ~~à~~/ de lire les critiques.

a. Ils nous ont informés à / de la rediffusion de ce film à la télévision.

b. On s'est décidés à / de acheter les billets.

c. Je suis très attachée à / de cette salle.

d. Vous vous êtes occupés à / de savoir dans quelle salle on pouvait voir ce film ?

e. Tu tiens vraiment à / de revoir ce navet ?

f. Nous nous sommes plaints à / de la direction du cinéma. Le directeur s'est montré compréhensif.

h. Nous risquons à / de rater la séance de 20 heures.

106 Pronoms COD. Répondez aux questions.

    Exemple :   – Tu as vu le film dont je t'avais parlé ? – Oui, *je l'ai vu.*

a. – Ils ont revendu leurs billets ? – Non, ...

b. – Vous avez trouvé la salle ? – Oui, ...

c. – Tu connais le réalisateur ? – Non, ...

d. – Il a payé les places ? – Oui, ...

e. – A-t-elle été récompensée pour ce rôle ? – Oui, ...

f. – Vous aviez lu les critiques ? – Non, ...

g. – Tu as déjà choisi le film que tu veux voir ? – Non, ...

h. – Cet acteur a obtenu le César du meilleur acteur ? – Non, ...

107 Transformez la phrase en remplaçant le mot souligné par un pronom.

    Exemple :   Il a offert des pop-corn à <u>Cécile</u>. *Il lui a offert des pop-corn.*

a. Nous avons raconté le scénario à <u>nos amis</u>. ....

b. Donne ce programme à <u>Mathilde</u>. ....

c. Tu as pensé à <u>l'actrice qui joue dans ce film</u> ? ....

d. Vous pourriez faire attention <u>aux spectateurs qui sont devant vous</u> ! ....
....

e. Elle a téléphoné à <u>toute sa famille</u> avant la sortie de son film. ....
....

f. Ils se sont opposés à <u>tous ceux qui ont critiqué le film</u>. ....

g. J'ai parlé au <u>réalisateur</u> de ce court-métrage. ....

h. Tu ne voudrais pas envoyer un courriel à <u>ton frère</u> pour proposer une sortie au cinéma ?
....

108 Écoutez les phrases et cochez ce que vous entendez.

    Exemple : **1.** ☒ m'a **2.** ☐ ma

a. **1.** ☐ t'a   **2.** ☐ ta   e. **1.** ☐ m'a   **2.** ☐ ma

b. **1.** ☐ l'a   **2.** ☐ la   f. **1.** ☐ t'a   **2.** ☐ ta

c. **1.** ☐ s'est   **2.** ☐ ses   g. **1.** ☐ s'est   **2.** ☐ ses

d. **1.** ☐ l'est   **2.** ☐ les   h. **1.** ☐ l'est   **2.** ☐ les

109 | Rayez le pronom qui ne convient pas (COD, COI, et *à* ou *de* + toniques).

Exemple : On ne va pas ~~les~~ / leur envoyer d'invitations ~~à eux~~.

a. Tu ne la / lui as pas annoncé que tu avais réussi ton casting !

b. Vous ne lui renoncez pas à lui !

c. Le personnage principal les / leur rencontre dans un bar.

d. Les actrices l' / lui ont apprise.

e. Je ne crois pas que tu te leur sois assez occupé d'eux.

f. Elle les / leur a manquées.

g. Ils les / leur ont confirmé leur venue.

h. Nous nous la / lui sommes échangée.

110 | Répondez aux questions.

Exemple : – Tu as pensé à réserver des places sur Internet ? *– Oui, j'y ai pensé.*

a. – Vous avez résisté à la tentation de passer votre journée au cinéma ?

– Non, nous ....

b. – Tu tiens beaucoup à cette figurante ? – Oui, ...

c. – Il s'est intéressé à son rôle ? – Non, ...

d. – On va au Rex ce soir ? – Oui, ...

e. – Tu as bien fait attention aux enfants pendant le film ? – Oui, ...

f. – Est-ce qu'elle s'habitue à son nouveau collaborateur ? – Non, ...

g. – Vous allez chez Léon voir un DVD ? – Oui, ...

h. – Ce réalisateur a renoncé à son acteur préféré parce qu'il coûtait trop cher ?

– Oui, ...

111 | Transformez ces phrases en remplaçant le mot souligné par un pronom.

Exemple : Je ne me suis pas aperçu de <u>mon erreur</u>. *Je ne m'en suis pas aperçu.*

a. Je ne me souviens pas de <u>ce film</u>. ....

b. Il n'a pas peur de <u>ce personnage</u>. ....

c. Elles se moquent d'<u>être en retard à la séance</u>. ....

d. On est en train de parler de <u>ces acteurs</u>. ....

e. Ils se sont occupés de <u>trouver la salle sur Internet</u>. ....

f. Tu as envie de <u>sortir ce soir pour aller au cinéma</u> ? ....

g. Vous n'avez pas informé vos amis de <u>votre retard</u>. ....

h. Nous sommes responsables de <u>mes nièces</u> cet après-midi. ....

....

112 | Rayez le pronom incorrect.

Exemple : Je ne m'~~en~~ / y habituerai jamais !

a. Ils n' en / y ont pas encore renoncé.

b. Nous ne nous en / y sommes pas encore remis.

c. Vous n' en / y avez pas fait attention.

d. Elles ne veulent pas en / y participer.

e. J'espère que tu n' en / y es pas fière !

f. On ne peut pas en / y croire.

g. Je n'ai jamais voulu en / y aller.

h. Il en / y est sorti vers cinq heures.

113 | **Complétez les phrases suivantes à l'aide du pronom qui convient.**

On est allées à l'avant-première du nouveau film avec Jean Reno. La foule y était dense et tu sais combien j' *(1) en* ai peur. Martha est entrée la première et a tenté de *(2)* .... garder une place à côté d' *(3)* .... mais une femme *(4)* .... a posé ses affaires sans *(5)* .... demander son avis. Je me suis donc assise un peu plus loin. Quand le film a commencé, il y avait encore beaucoup de bruit dans la salle. Les gens parlaient comme si de rien n'était et je *(6)* .... ai demandé gentiment de se taire mais ils ne *(7)* .... écou-taient pas du tout. Ils ont fini par respecter le silence et nous avons pu voir le film tranquil-lement. À la sortie, j'ai voulu rejoindre Martha mais la foule *(8)* .... a emportées et nous nous sommes perdues. Quelle soirée ! Je ne retournerai plus jamais à une avant-première !

C. LA PHOTOGRAPHIE

114 | **Reliez ces termes entre eux pour indiquer à quoi ils correspondent en photographie.**

a. obturateur   1. lumière

b. diaphragme   2. film

c. boîtier   3. papier

d. développement   4. vitesse

e. tirage   5. optique

f. objectif   6. négatif

g. pellicule   7. netteté

h. mise au point   8. appareil

115 | **Complétez les phrases suivantes à l'aide des mots proposés :** *labo-photo, temps d'expo-sition, prise de vue, chambre noire, révélateur, pellicule, diapositive, fixateur, agrandisseur.*

Exemple : La pièce où les films sont traités s'appelle une ***chambre noire.***

a. Le développement est le traitement de la .... pour obtenir le négatif.

b. Le négatif est projeté sur du papier photosensible à l'aide d'un ....

c. Le temps que dure cette opération s'appelle le ....

d. Le papier est alors plongé dans un bain contenant du ....

e. L'image est ensuite neutralisée dans un bain contenant du ....

f. Une image photographique s'appelle une ....

g. Un négatif tiré sur support transparent s'appelle une ....

h. Quand on ne développe pas ses photos soi-même, on les apporte dans un ....

116 Les doubles pronoms. Répondez aux questions à l'aide des pronoms COD et COI.

Exemple : – Tu as montré les photos à tes cousins ? *– Oui, je les leur ai montrées.*

a. – Il vous a apporté les négatifs ? – Oui, ...

b. – Elles ont offert la prise de vue à leur père ? – Oui, ...

c. – Vous voulez bien nous montrer votre album ? – Non, nous ....
....

d. – Tu n'as pas accepté de prêter ton appareil à Jeanne ? – Non, ...
....

e. – On va écrire à Michel pour lui annoncer la bonne nouvelle ? – Oui, ...
....

f. – Est-ce qu'il faudra donner l'objectif aux techniciens ? – Non, ...
....

g. – Elle a volé le portrait de Maxime à sa mère ? – Oui, ...

h. – Est-ce que tu as eu le temps de me développer les négatifs ? – Non, ...
....

117 Les doubles pronoms. Transformez les phrases suivantes et choisissez entre pronoms COD et *y* ou pronoms COI et *en*.

Exemple : Il a conduit ses parents au labo-photo. *Il les y a conduits.*

a. Tu n'as pas parlé de ton projet à ton mari ? ....

b. Elle nous a donné beaucoup de conseils. ....

c. Ils ont inscrit leur fille à un club photo. ....

d. Vous allez informer votre entourage de votre intention. ....

e. Je ne vais pas envoyer mes négatifs à ce journal. ....

f. Ils ne veulent pas vous commander des flacons de fixateur. ....
....

g. On n'a pas l'intention de demander à notre patron une augmentation. ....
....

h. Il t'a convaincu d'acheter cet appareil. ....

118 Les doubles pronoms. Remettez dans l'ordre les phrases suivantes.

Exemple : jamais/a/lui/ai/./ne/qu'/fait/en/Je/pour/ce/voulu/il

Je ne lui en ai jamais voulu pour ce qu'il a fait.

a. obliger/pas/y/./ne/Ils/veulent/les

→ ....

b. parlé,/si/./ne/m'/tu/savais/as/Même/pas/je/en/le

→ ....

c. ne/souvenir/pas/./falloir/nous/va/en/Il

→ ....

d. l'/n'/pas/./du/On/leur/beaucoup/intention/tout /de/en/acheter/a

→ ....

e. annoncé/leur/./ne/Je/le/ai/pas/encore

→ ....

f. l'/te/demande/de/emmener/y/Je/ne/./pas

→ ....

g. pardonnée/pas/ne/./la/ont/lui/Elles

→ ....

h. ont/./pas/n'/souhaité/leur/disions/que/Ils/le/nous

→ ....

119 | **Les doubles pronoms. Complétez ce texte à l'aide des pronoms qui conviennent.**

Nous avons passé des vacances formidables à Paris ! Nous **nous y** sommes rendus pour les fêtes de fin d'année. Nous avons logé chez un ami de notre fils qui s'appelle Sébastien. Nous sommes arrivés un peu à la dernière minute mais il ne **(1)** .... a pas tenu rigueur. C'est un garçon adorable et un artiste de grand talent. Nous avons vu son atelier. Il **(2)** .... a conduits dès notre arrivée. Ses tableaux sont superbes. Nous avons voulu **(3)** .... acheter un mais il a insisté pour **(4)** .... offrir. Le lendemain, pour le remercier, nous sommes allés dans un magasin de fournitures artistiques et nous avons pris des pigments et des pinceaux. Quand nous **(5)** .... avons donnés, il a été très ému. Pour le réveillon, il a invité quelques amis chez lui. Nous **(6)** .... avons remercié car nous n'aurions pas aimé qu'il se prive de réveillonner à cause de notre présence. Ses amis étaient très sympathiques. Nous leur avons proposé de venir à Bordeaux l'année prochaine. Nous **(7)** .... avons tous invités pour le réveillon. Ils ont tous accepté et nous **(8)** .... préparerons un aussi fabuleux que celui que nous venons de passer.

120 | **Les doubles pronoms. Écoutez et répondez aux questions à l'aide de pronoms.**

Exemple : **Non, je ne la leur ai pas racontée.**

a. Oui, nous ....

b. Oui, il ....

c. Non, je ....

d. Non, il ....

e. Oui, on ....

f. Oui, je ....

g. Non, tu ....

h. Non, elle ....

121 | **Écoutez et cochez ce que vous entendez.**

Exemple : **1.** ☒ m'en   **2.** ☐ ment

a. **1.** ☐ s'en   **2.** ☐ sans   e. **1.** ☐ m'en   **2.** ☐ ment

b **1.** ☐ m'y   **2.** ☐ mis   f. **1.** ☐ s'en   **2.** ☐ sans

c. **1.** ☐ s'y   **2.** ☐ si   g. **1.** ☐ m'y   **2.** ☐ mis

d. **1.** ☐ l'y   **2.** ☐ lis   h. **1.** ☐ s'y   **2.** ☐ si

122 Reliez les mots proposés à leur définition.

a. Un navet

b. Une croûte

c. Un chef-d'œuvre

d. Une pelloche

e. Un gribouillage

f. L'expression « Je ne peux pas le voir en peinture »

g. La facture d'une œuvre

h. L'expression « c'est le portrait craché de son père »

1. est une œuvre d'art exceptionnelle.

2. signifie « il lui ressemble beaucoup ».

3. est un mauvais tableau.

4. est un dessin qui ne signifie rien.

5. est la manière dont elle a été exécutée.

6. est un mauvais film.

7. signifie « Je le déteste ».

8. est le nom familier qui signifie une pellicule photo.

Bilan

123 Complétez ces dialogues avec le mot correct.

Au cours d'un cocktail Madame de Larivière et Madame de Lafayette discutent.

Madame de Larivière : *Bonjour très chère, cela faisait longtemps que nous ne nous étions point vues, n'est-ce pas ? Je crois que c'était au* **(1)** *v................ de ce jeune peintre à la mode, non ?*

Madame de Lafayette : *Vous avez raison. D'ailleurs, j'avais beaucoup aimé cette* **(2)** *e................ J'avais même acheté une des* **(3)** *t........, celle qui était au centre de la* **(4)** *g............ exposée sur un* **(5)** *ch.............. sans* **(6)** *enc...................*

Madame de Larivière : *Vous avez très bien fait, c'était un véritable* **(7)** *ch............... ! Mon époux et moi-même avions fait l'acquisition de la série de* **(8)** *cr............ sur la vie quotidienne des Indiens d'Amazonie. Il a vraiment su saisir l'atmosphère qui règne dans ces villages.*

Dans un café, deux amis discutent.

Philippe : *Laisse ! C'est pour moi !*

Marie : *Ah bon ?? Je croyais que tu n'avais plus d'argent ?*

Philippe : *C'était vrai jusqu'à la semaine dernière !*

Marie : *Pourquoi jusqu'à la semaine dernière ? Qu'est-ce qui s'est passé ?*

Philippe : *Tu ne vas pas me croire, mais bon... je te raconte. Voilà, lundi dernier après les cours, je suis allé à St-Michel pour m'acheter un livre. Je me suis retrouvé en plein milieu du* **(9)** *t.............. de « Taxi 3 ».*

Marie : *Et alors, qu'est-ce que tu as fait ?*

Philippe : *Je ne me suis pas dégonflé : j'ai cherché le* **(10)** *r.................. et lui ai demandé s'il n'embauchait pas des* **(11)** *f............. Il m'a répondu que si et il m'a engagé sur son* **(12)** *f........... pour 4 mois.*

Marie : Tu crois que tu pourras avoir des places pour (13) l'av................. quand le film sortira ?

Philippe : Je pense qu'il n'y aura pas de problèmes. Tu sais, en plus quelqu'un sur le plateau m'a proposé de faire de la post-synchronisation pour un film américain.

Marie : Pour faire de la post... quoi ?

Philippe : De la post-synchronisation. En fait, c'est faire le (14) d........... du film.

Marie : Ah, d'accord... Comme tu vas devenir « riche » grâce à tous ces boulots, je te laisse régler !

124 Réécrivez ce texte au passif.

Canal + a retransmis la 29e cérémonie des César en direct et en clair ce 21 février. 2,346 millions de téléspectateurs ont vu cette retransmission. Les spécialistes considèrent ce chiffre comme un record. En effet, en 2002, seulement 2,1 millions de téléspectateurs avaient regardé la cérémonie.

C'est en janvier dernier que Michel Denisot, directeur général adjoint du groupe Canal +, avait dévoilé les nominations aux César. Environ 1 500 membres de l'Académie des arts et techniques du cinéma avaient voté pour les 11 nominations du film de Jean-Paul Rappeneau, *Bon voyage*. À sa sortie, le public français ne l'avait pas plébiscité, il n'avait fait que 800 000 entrées mais certaines personnes pensaient que, lors de la soirée du 21 février, *Bon voyage* raflerait toutes les statuettes.

Mais c'est le film québécois *Invasions barbares* qui a marqué la 29e cérémonie des César. Le jury a décerné les César du Meilleur film, du Meilleur réalisateur et du Meilleur scénario original aux *Invasions barbares*.

Le jury a recompensé, avec le César de la Meilleure actrice, Sylvie Testud, et avec le César du Meilleur acteur, Omar Sharif.

Gregori Derangère qui a joué dans *Bon voyage* a reçu le César du Meilleur jeune espoir masculin.

Le jury a attribué deux César (Meilleur second rôle féminin et Meilleur jeune espoir féminin) à Julie Depardieu pour son rôle dans *La petite Lili*. Richard Anconina avait réalisé la même performance en 1984 pour son rôle dans *Tchao Pantin*.

....
....
....
....
....
....
....
....
....
....
....

IV. SCIENCES ET TECHNOLOGIES

A. QUE NOUS RÉSERVE L'AVENIR ?

125 Notez les professions qui correspondent aux définitions.

Exemple : C'est un spécialiste des sciences : **un scientifique**

a. Il étudie et pratique la chimie : ....

b. Il étudie les phénomènes physiques : ....

c. Il fait des mathématiques : ....

d. Il étudie les étoiles et les planètes : ....

e. Il étudie la formation et les transformations du sol terrestre : ....

f. Il étudie et prévoit le temps : ....

g. Il étudie la flore : ....

h. Il étudie les gènes : ....

126 La comparaison progressive. Transformez les phrases suivantes à l'aide de *de plus en plus* et *de moins en moins*.

Exemple : La science est plus complexe. *La science est de plus en plus complexe.*

a. Il comprend moins. ....

b. Vous êtes plus motivés. ....

c. Nous faisons moins de mathématiques. ....

d. Les disciplines scientifiques sont plus variées. ....

e. Les expériences coûtent plus cher. ....

f. Il y a moins de chercheurs. ....

g. Je m'intéresse plus à la génétique. ....

h. Elle a moins de convictions. ....

127 *Les instruments.* Reliez les mots proposés à leur définition.

a. une éprouvette   1. un récipient en verre ou en plastique gradué utilisé en chimie

b. un microscope   2. un tube à essai

c. une blouse   3. un appareil automatisé

d. un échantillon   4. une fraction représentative d'un ensemble

e. un téléscope   5. un instrument permettant de voir de très petites choses.

f. une carotte   6. un instrument d'observation astronomique

g. un robot   7. une sorte de veste pour se protéger des tâches

h. une burette   8. un prélèvement de terrain de forme cylindrique utilisé en géologie

128 **Complétez le texte à l'aide des mots proposés :** *laboratoire, innovations, expérimentations, hypothèses, théorie, vérifier, découverte, tests, étude.*

Le chercheur doit procéder à de nombreuses **expérimentations** avant d'annoncer une **(1)** .... Il établie d'abord des **(2)** .... qu'il devra **(3)** .... Pour cela, il conduit une **(4)** .... dans son **(5)** .... et procède à des **(6)** .... Si tout se passe bien, il pourra établir une **(7)** .... qui servira de supports à de multiples **(8)** ....

129 **Reliez les mots proposés à leur définition.**

a. Un schéma

b. Une équation

c. Un calcul

d. Une statistique

e. Un résultat

f. Un graphique

g. Une formule

h. Une conversion

1. est une relation existant entre deux quantités et dépendant de variables.

2. est un dessin simplifié.

3. est une courbe.

4. est un chiffre qui permet d'expliquer des phénomènes ou d'établir des prévisions.

5. est une solution.

6. est une transposition.

7. est un procédé pour résoudre des opérations.

8. est une méthode.

130 **Complétez les phrases suivantes à l'aide des mots proposés :** *prochain, projeté, planifié, projet, imminent, anticipés, prévoir, à l'avance, préalable.*

Exemple : Le futur est **imminent** !

Vous aviez vaguement **(1)** .... de partir en Bretagne l'été **(2)** .... mai votre épouse n'aime pas du tout ce **(3)** .... Alors pourquoi n'iriez-vous pas fair un petit voyage dans l'espace ? L'agence « Espace pour tous » organise des séjours d'un semaine pour deux personnes à bord de leur navette spatiale « avec chauffeur ». Bien sû il faudra **(4)** .... une à deux semaines **(5)** .... car vous aurez besoi d'une petite formation **(6)** .... Mais rassurez-vous, le programme d'entraînemer est **(7)** .... heure par heure. Ainsi, tous les risques sont **(8)** .... Imaginez la joie de votre épouse et les souvenirs extraordinaires que vous raconterez à vo enfants et petits-enfants !

131 **Complétez les phrases suivantes à l'aide du futur simple des verbes entre paren thèses.**

Exemple : En 2100, tous les êtres humains (être) **seront** immortels grâce aux progrès c la génétique.

a. Vous (avoir) .... un doigt supplémentaire à force de taper sur les claviers des orc nateurs.

b. Les océans (recouvrir) .... la plupart des villes côtières existant aujourd'hui.

c. La technologie (faire) .... partie de notre quotidien encore plus qu'aujourd'hui.

d. Nous (aller) .... en vacances sur la Lune et sur Mars.

e. On (utiliser) .... enfin l'énergie solaire pour ne plus polluer la Terre.

f. Les hommes (pouvoir) .... se télé-transporter d'un endroit à un autre.

g. Tous les animaux (savoir) .... parler plusieurs langues.

h. Mais je ne (être) .... sans doute plus là pour voir ça.

132 Futur simple. Écoutez puis complétez ces phrases au futur simple.

Exemple : La médecine *fera* des progrès considérables.

a. Vous .... sur la Lune en voyage de noces dans des hôtels qui .... sur la Terre.

b. On .... des robots à tout faire pour la maison et on les .... travailler.

c. Les enfants .... chez eux pour étudier, ils n'.............. plus besoin d'aller à l'école.

d. Les magasins n'.............. plus, tous les achats se .... à distance.

e. Tu .... programmer n'importe quoi sur ton ordinateur dont tu .... très fier.

f. Nous avalerons des pilules qui .... la nourriture.

g. Je .... un logiciel qui .... au cerveau d'emmagasiner toutes les données.

h. La vie ne .... en rien à ce que nous connaissons aujourd'hui, ce .... fabuleux.

133 Que pensez-vous de l'avenir ? Complétez librement les phrases suivantes au futur simple.

Exemple : En 2100, la télé *proposera des millions de chaînes.*

a. Les gens ....

b. Nous ....

c. Ceux qui ....

d. Tout le monde ....

e. Les vêtements ....

f. Tu ....

g. Les compétitions sportives ....

h. Il ....

134 Futur proche et futur simple. Transformez les informations proposées en phrases, en utilisant le futur proche et le futur simple.

Exemple : Faire des recherches. Découvrir un produit contre le vieillissement. (il)

Il va faire des recherches et il découvrira un produit contre le vieillissement.

a. Écrire une équation. Devoir trouver le résultat. (le professeur / nous)

→ ....

b. Étudier la génétique. Devenir un généticien réputé. (je)

→ ....

c. Apprendre les formules mathématiques. Avoir de meilleurs résultats. (elle)

→ ....

d. Faire des tests. Pouvoir vérifier vos hypothèses. (vous)

→ ....

e. Recueillir des données statistiques. Établir un graphique. (tu)

→ ....

f. Trouver un moyen de soigner toutes les maladies. Ne plus jamais être malades. (ils / nous)

→ ....

g. Prendre des cours d'informatique. Inventer de nouveaux programmes. (on)

→ ....

h. Changer. Avoir peut-être la nostalgie du passé. (le monde / nous)

→ ....

135 **Reliez chaque phrase proposée à l'idée qu'elle exprime.**

a. Il sera parti faire un tour.

b. Tout ceci n'aura servi à rien.

c. Avant la fin de l'année, ils auront déménagé.

d. Au moins, j'aurai rencontré des gens.

e. Elles se seront endormies.

f. D'ici une semaine, il se sera fait de nouveaux amis.

g. Tu auras pu t'exprimer !

h. En dix ans, nous n'aurons pas fait une seule découverte importante !

1. un bilan positif
2. un bilan négatif
3. un fait probable
4. une action terminée dans le futur

136 **Complétez les phrases suivantes à l'aide du futur antérieur des verbes entre parenthèses.**

Exemple : Il (mourir) *sera mort* sans revoir sa famille.

a. Vous (parler) .... pendant une heure sans ennuyer le public.

b. Tu (s'habituer) .... à ta nouvelle vie, dans quelques temps.

c. Ils (être entendu) ....

d. Elle (faire) n'.................. aucune déclaration depuis sa sortie de prison.

e. J' (descendre) .... les cartons à la cave avant ton retour.

f. On (rester) .... dehors toute la nuit.

g. Vous (ne jamais s'emporter) .... une seule fois de toute votre carrière.

h. Nous (ne pas être invité) ....

137 **Complétez les phrases suivantes à l'aide du futur simple ou du futur antérieur des verbes entre parenthèses.**

Exemple : En 2100, tous les êtres humains (être) *seront* immortels parce que les chercheurs (découvrir) *auront découvert* et (savoir) *auront su* neutraliser le gène de la vieillesse.

a. Vous (manger) .... des produits qui (subir) .... de multiples transformations.

b. Les océans (recouvrir) .... une grande partie de la Terre et de nombreuses villes côtières (disparaître) ....

c. Quand la recherche (progresser) ...., le monde (être) .... sans doute meilleur.

d. Quand la recherche spatiale (trouver) .... un moyen de voyager rapidement, nous (aller) .... sur Mars pour le week-end.

e. Lorsque les hommes (épuiser) .... les ressources pétrolières, ils (utiliser) .... l'énergie solaire.

f. Le jour où nous (perdre) .... l'habitude d'écrire à la main, les stylos (disparaître) ....

g. Quand tous les hommes (apprendre) .... à parler plusieurs langues, il y (avoir) .... moins de tensions.

h. Lorsque j' (voir) .... assez .... le spectacle du monde, je (se retirer) ....

B. LE MONDE DES ORDINATEURS

138 Parmi la liste suivante, soulignez tous les mots qui indiquent un élément informatique.

un scanner – une télévision – une aiguille – une souris – un filet – un fichier – une imprimerie – un néon – un diffuseur – un clavier – un éléphant – une imprimante – une fiche – une photocopie – une fenêtre – une porte – une table – un écran – un livre – une mémoire – une boîte – un dos – une disquette – une tâche – une douche – un magnétoscope

139 Complétez les phrases suivantes à l'aide des verbes proposés : *réduire, formater, quitter, sélectionner, insérer, taper, enregistrer, graver, cliquer.*

Exemple : *Taper* sur les touches du clavier.

a. .... des données pour les sauvegarder.

b. .... un CD vierge.

c. .... une disquette.

d. .... un numéro de page.

e. .... du texte pour changer la police de caractère.

f. .... une application pour faire autre chose.

g. .... ou agrandir une fenêtre.

h. .... sur la souris pour placer le curseur.

140 Exprimer la condition. Reliez les deux parties des phrases.

a. Si tu veux un ordinateur pour Noël,
b. Démonte le disque dur,
c. Je te ferai une copie de mon travail,
d. Si j'achète un ordinateur,
e. Si la machine remplace l'homme,
f. Vous pourrez vous connecter à Internet,
g. Ajoutez des barettes de mémoire,
h. Si elles branchent ce scanner ici,

1. si tu me donnes un CD vierge.
2. il aura l'impression d'être bien inutile.
3. si vous voulez que votre ordinateur soit plus performant.
4. tu as intérêt à bien travailler en classe.
5. si vous achetez un modem.
6. ce sera un portable.
7. si tu en as le courage.
8. il va exploser.

141 Exprimer la condition. Complétez librement les phrases à l'aide des temps proposés.

Exemple : (futur simple) Si nous apprenons la programmation, ***nous créerons des jeux.***

a. (présent) Si je me connecte, ...

b. (présent) Si les ordinateurs sont partout, ...

c. (impératif) Si vous voulez imprimer ce document, ...

d. (futur proche) S'il télécharge n'importe quoi sur Internet, ...

e. (présent) Si tu veux enregistrer tes données sur ta disquette, ...

f. (futur simple) Si nous défragmentons notre disque dur régulièrement, ...

....

g. (impératif) Si elles ne peuvent pas ouvrir les fichiers, ...

h. (futur simple) S'il y a trop de bogues, ...

142 Exprimer la condition. Transformez les phrases suivantes à l'aide de *à condition de* ou *à condition que*.

Exemples : Je te prête mon portable si tu me le rends en bon état.

> ***Je te prête mon portable à condition que tu me le rendes en bon état.***

Tu deviendras informaticien si tu fais plus d'efforts.

> ***Tu deviendras informaticien à condition de faire plus d'efforts.***

a. J'achèterai un scanner demain si le magasin est ouvert.

→ ....

b. Patrick installera le logiciel demain s'il a le temps.

→ ....

c. Nous prendrons des cours d'informatique si tu nous les donnes.

→ ....

d. Vous aurez un DVD gratuit si vous venez aujourd'hui.

→ ....

e. Ils ne se connecteront à Internet que si tu leur prends un modem.

→ ....

f. On va changer notre matériel informatique si on a assez d'argent.

→ ....

g. Tu peux jouer si tu recopies ton devoir correctement et proprement.

→ ....

h. Tu ne pourras bien travailler que si tu as un ordinateur puissant.

→ ....

143 Exprimer la condition. Transformez les phrases suivantes à l'aide de *sinon*.

Exemple : Si tu ne répares pas ton imprimante, tu auras des problèmes.

> ***Répare ton imprimante sinon tu auras des problèmes.***

a. Si vous ne prenez pas une extension de garantie vous risquez d'avoir des problèmes quand l'ordinateur tombera en panne. → ....

....

b. Si nous n'écoutons pas les explications du vendeur nous ne saurons pas comment utiliser la machine. → ....

c. Si tu lis le mode d'emploi tu comprendras comment ça fonctionne. → ....

d. Si nous ne nous habituons pas aux nouvelles technologies, nous serons totalement perdus dans quelques années. → ....

e. Si vous ne comparez pas les prix, vous allez acheter un produit cher qui ne correspondra peut-être pas à vos besoins. → ....

f. Si tu n'établis pas un budget équilibré, tu vas dépenser une fortune en cédéroms. → ....

g. Si nous achetons tout ce que le vendeur nous conseille, nous allons dépasser largement la somme que nous avions prévue de dépenser. → ....

h. Si vous sauvegardez régulièrement vos documents sur une disquette, vous éviterez de perdre votre travail en cas de panne. → ....

C. L'ESPACE

144 **Complétez les définitions suivantes à l'aide des mots proposés :** *étoiles, éclipse, astronomie, Univers, planètes, Système solaire, comète, météorite, galaxie.*

Exemple : C'est l'ensemble de tout ce qui existe : *l'Univers*.

a. Ce sont des astres que l'on voit la nuit : les ....
b. Ce sont des corps célestes qui tournent autour du Soleil : les ....
c. C'est un immense ensemble composé de milliards d'étoiles : la ....
d. C'est un astre qui laisse une traînée lumineuse : une ....
e. C'est la disparition temporaire d'un astre : une ....
f. C'est un morceau d'astre qui est tombé sur la Terre : un ou une ....
g. C'est l'ensemble formé par le Soleil et les planètes qui gravitent autour de lui : le ....
h. C'est la science qui étudie les astres de l'Univers : l'...................

145 **Complétez les noms de planète proposés.**

Exemple : T**erre**

a. Pl.........   e. Mer.........
b. M.........   f. Ve.........
c. S.........   g. Ne.........
d. Ju.........   h. U.........

Reliez les mots proposés pour former des phrases.

a. Un satellite
b. Une navette spatiale
c. Un alunissage
d. Les fusées
e. Loin de l'atmosphère terrestre
f. Les astronautes
g. Les corps sont en apesanteur
h. Le CNES

1. signifie qu'un engin spatial se pose sur la lune.
2. est un organisme scientifique et technique qui dirige le programme spatial français.
3. est un véhicule spatial.
4. les astronautes sont en apesanteur.
5. quand ils échappent à l'attraction terrestre.
6. tourne en orbite autour de la terre.
7. portent des combinaisons spatiales.
8. sont envoyées par des rampes de lancement.

 Les valeurs du conditionnel présent. Reliez les phrases proposées à leur valeur.

a. La fusée serait prête à décoller d'une minute à l'autre.
b. On serait des astronautes et on irait sur la lune.
c. Il serait envisageable d'envoyer rapidement un satelite de communication.
d. Pourrais-je partir avec vous sur Mars ?
e. Ça te dirait de partir en vacances dans l'espace, chérie ?
f. J'aimerais beaucoup aller sur la lune.
g. Tu devrais réfléchir avant de faire un tel voyage !
h. Vous pourriez m'emmener avec vous, tout de même !

1. une suggestion
2. une nouvelle incertaine
3. un reproche
4. une demande polie
5. un conseil
6. un produit de l'imagination
7. un souhait
8. un projet réalisable

148 **Conditionnel présent. Complétez les phrases suivantes à l'aide du conditionnel présent.**

Exemple : J'*aimerais* (aimer) beaucoup connaître davantage l'astronomie.

a. Ce .... (être) fabuleux de pouvoir voyager dans l'espace comme on voyage sur la Terre.
b. Nous .... (vouloir) savoir quelle est la distance qui sépare la Terre du Soleil.
c. Les astronomes .... (souhaiter) pouvoir expliquer avec certitude les origines de l'Univers.
d. Tu n'............ (avoir) pas un télescope, par hasard ?
e. On .... (aller) sur Mars et on .... (rencontrer) des Martiens très gentils.
f. Le CNES .... (faire) des recherches depuis de nombreuses années pour découvrir un moyen d'atteindre Uranus en quelques heures.
g. Ça te .... (plaire) d'observer les étoiles avec moi, ce soir ?
h. Les scientifiques .... (pouvoir), très prochainement, faire des découvertes importantes dans le domaine de l'astronomie.

149 Utilisez le conditionnel présent. Faites des phrases à l'aide des indications données.

> *Exemple :* Suggérer l'achat d'un livre sur le Système solaire. (on)
> ***On pourrait acheter un livre sur le Système solaire !***

a. Conseiller d'aller au planétarium. (vous)

→ ....

b. Demander le nom d'une constellation. (vous)

→ ....

c. Donner une nouvelle incertaine sur le départ prochain d'une sonde spatiale.

→ ....

d. Reprocher de ne pas avertir quand il y a une soirée spéciale consacrée à l'espace au centre culturel. (tu/me)

→ ....

e. Projeter d'installer un laboratoire sur Venus. (être possible)

→ ....

f. Souhaiter que le ciel soit bien dégagé cette nuit. (je)

→ ....

g. Imaginer être extra-terrestres. (on)

→ ....

h. Suggérer d'aller voir un film de science fiction. (nous)

→ ....

150 Faire une hypothèse. Reliez les deux parties de chaque phrase.

a. Si c'était possible,

b. Si tu voulais,

c. On pourrait s'informer sur les planètes,

d. Si nous savions lire dans le ciel,

e. Je t'achèterais un télescope,

f. Si les hommes voulaient préserver l'espace,

g. Si j'allais dans l'espace,

h. Nous passerions des nuits à observer le ciel,

1. nous serions capable de nous diriger sans boussole.
2. tu pourrais devenir astronaute.
3. si tu aimais regarder le ciel.
4. ils n'y enverraient pas autant de satellites.
5. si ça t'intéressait.
6. si nous connaissions un peu l'astronomie.
7. j'irais vivre dans l'espace.
8. je me sentirais tout petit.

151 Faire une hypothèse. Faites des phrases à l'aide des indications données.

> *Exemple :* Pouvoir, faire un planétarium chez soi.
> ***Si je pouvais, je ferais un planétarium chez moi.***

a. Avoir le temps, aller plus souvent à la Cité des Sciences.

→ Si on ....

b. Travailler bien à l'école, pouvoir envisager une carrière scientifique.

→ Si tu ....

c. Lire des revues spécialisées, connaître autant de choses que moi concernant la science.

→ Si vous ....

d. Avoir davantage d'émissions scientifiques à la télévision, avoir plus de vocations parmi les jeunes. → S'il y ....

....

e. Recevoir des ministères un peu plus d'argent pour la recherche, obtenir de meilleurs résultats. → Si les laboratoires ....

....

f. Devenir médecin, falloir soigner toute sa famille.

→ Si tu ....

g. Publier ses travaux, recevoir le prix Nobel de chimie.

→ Si elle ....

h. Faire partie de la communauté scientifique, être obsédé par ses recherches.

→ Si nous ....

....

152 **Faire une hypothèse. Écoutez les souhaits des personnes et faites des hypothèses.**
Exemple : Si tu *faisais un voyage dans l'espace, tu serais terrorisée.*

a. Si tu ....

b. S'il ....

c. Si vous ....

d. Si je ....

e. S'ils ....

f. Si tu ....

g. Si nous ....

h. Si on ....

D. LA MÉDECINE

153 **Complétez les phrases suivantes à l'aide des mots proposés :** *sanguin, opération, urgences, ausculter, pansement, hospitalisé, plâtrer, anesthésiste, santé.*

Exemple : Il s'est cassé la jambe et il a fallu le *plâtrer.*

a. Elle est malade, le médecin va l'.................. dans un moment.

b. Comme vous êtes fatigué sans raison, vous allez faire un examen ....

c. Tu ne peux pas rester chez toi. Tu dois être .... !

d. Je suis sortie trois jours après mon ....

e. Monique, allez changer le .... de madame Lemoine, chambre 12, s'il vous plaît !

f. Appelez le S.A.M.U., il faut la conduire aux .... !

g. Avant de voir le chirurgien, vous verrez l'..................

h. Les dépenses de .... coûtent très cher à la Sécurité sociale.

154 Antériorité et postériorité. Notez l'ordre dans lequel les actions se sont déroulées.

Exemple : Il est sorti de l'hôpital *(2)* après avoir vu le médecin. *(1)*

a. Avant de faire cette intervention chirurgicale ( ), vous devrez faire des analyses. ( )

b. Aussitôt que nous aurons découvert un moyen de neutraliser le virus ( ), nous développerons un nouveau médicament. ( )

c. Vous êtes restés avec lui ( ) jusqu'à son départ en salle d'opération ? ( )

d. Il a totalement changé de vie ( ) dès qu'il a su qu'il était guéri. ( )

e. On pourrait aller boire un café ( ) en attendant d'avoir les résultats ! ( )

f. Lorsque je t'ai revu après l'opération ( ), je ne t'ai pas reconnu. ( )

g. Vous réglerez ( ) une fois que vous aurez vu le docteur. ( )

h. Avant qu'elle ne soit totalement endormie ( ), parlez-lui. ( )

155 Complétez les phrases à l'aide de *avant, avant de, avant que, après, après que.*

Exemple : Ils seront morts **avant que** la médecine ne découvre un remède.

a. .... s'être adressé à l'assemblée des médecins, il a été chaleureusement applaudi.

b. La maladie s'est propagée en Europe .... atteindre l'Asie.

c. .... avoir été critiqué par ses pairs, il a décidé d'arrêter la recherche et de se consacrer à l'écriture.

d. .... vous ne preniez une décision, laissez-moi vous suggérer de lire ce rapport sur la biométrie.

e. .... nous avons rencontré le directeur du centre de recherche, il a obtenu des fonds pour son laboratoire.

f. Il n'y aura pas de nouvelles découvertes dans ce domaine .... longtemps.

g. Le ministère de la Santé refuse d'accorder de nouveaux crédits .... avoir vu les résultats.

h. .... un tel succès, il ne pouvait que se sentir soutenu par l'ensemble de la communauté scientifique.

156 Antériorité. Transformez les phrases suivantes à l'aide des indications proposées.

Exemple : Nous continuons les recherches et nous obtiendrons de nouveaux crédits. (en attendant)

Nous continuons les recherches en attendant l'obtention de nouveaux crédits.

a. Il a travaillé et quelqu'un est venu lui dire d'arrêter. (jusqu'à ce que)

→ ....

b. Il faut beaucoup se reposer et le traitement sera efficace. (en attendant que)

→ ....

c. Nous avons longtemps cherché et nous avons découvert cette molécule. (avant de)

→ ....

d. Vous continuerez ce traitement et vous serez guérie complètement. (jusqu'à)

→ ....

e. Lis cette brochure et tu verras le médecin. (en attendant de)

→ ....

f. Vous devriez vous tenir au courant des progrès de la science ou vos collègues ne vous feront plus confiance. (avant que) → ....

....

g. Il a décidé de s'installer dans son bureau et les travaux ne sont pas finis. (avant)

→ ....

h. J'ai commencé mon expérience et le laborantin est arrivé. (en attendant)

→ ....

157 **La postériorité. Complétez les phrases à l'aide de :** *aussitôt que, quand, lorsque, après, après que, une fois que, le lendemain de, dès, dès que* **(plusieurs réponses possibles).**

> *Exemple :* **Quand** il a su qu'il allait être opéré, il a failli s'évanouir.

a. .... vous l'aurez entendu parler, vous comprendrez pourquoi tout le monde considère que c'est un grand professionnel.

b. .... tu auras parlé aux médecins, tu seras rassurée.

c. .... mes confrères m'auront fait part de leur diagnostic, je vous appellerai.

d. .... ses consultations, le Docteur Legendre va à la piscine pour se changer les idées.

e. .... son arrivée à l'hôpital, les infirmières se sont plaintes de son comportement.

f. .... l'infirmière sortie, il s'est levé pour faire sa valise et s'enfuir.

g. .... le patient a retrouvé des forces, il a commencé à parler.

h. Il est devenu chirurgien .... avoir rencontré le Professeur Thomassin.

158 **La simultanéité. Transformez les phrases à l'aide des mots entre parenthèses.**

> *Exemple :* Il est entré. Le médecin auscultait un patient. (pendant que)
> ***Il est entré pendant que le médecin auscultait un patient.***

a. Il veut faire un pansement. Il a envie d'éternuer. (chaque fois que)

→ ....

b. La salle d'opération n'a pas été désinfectée. Vous ne pourrez pas être opéré. (tant que)

→ ....

c. Le patient s'est réveillé. Le chirurgien terminait de le recoudre. (au moment où)

→ ....

d. Elle examine toujours ses patients. Elle chante. (gérondif)

→ ....

e. Vous expliquerez votre problème. Vous verrez le médecin. (quand)

→ ....

f. Les patients sont vus. Leur famille est vue. (simultanément)

→ ....

g. Il a fini son rapport. J'ai fini mon rapport. (en même temps)

→ ....

h. Nous étions aux urgences. Les pompiers ont amené un accidenté de la route. (alors que)

→ ....

Bilan

159 Complétez les phrases suivantes.

Exemple : Sébastien Rouard est un sc***ientifique*** de renom.

a. Il porte toujours une b............. blanche de chercheur.

b. Il projette de faire une grande dé............. qui changera le monde.

c. Il passe ses journées et ses nuits devant son mi............... dans l'espoir de trouver quelque chose d'extraordinaire.

d. Sa femme travaille dans le laboratoire qui se trouve à côté du sien. Elle manipule les épr............... comme personne.

e. Souvent, ils se retrouvent pour partager leurs r.............

f. Ils refont plusieurs fois leurs cal.........

g. Leur fils veut devenir as.............

h. Il contemple les pl............. pendant que ses parents tentent de comprendre les mystères de la Terre.

160 Complétez les phrases suivantes à l'aide des verbes proposés au temps qui convient.

Exemple : Quand il ***aura terminé*** (terminer) ses recherches, il les publiera.

a. Si vous .... (avoir) un microscope plus puissant, vous .... (aller) plus vite.

b. Lorsque j'............... (finir) mes études, je .... (être) cardiologue.

c. Elle .... (faire) une thèse et elle .... (travailler) pour le CNRS.

d. Vous ne .... (vouloir) pas faire de la recherche, par hasard ?

e. Après que tu .... (révolutionner) le monde scientifique, on .... (pouvoir) prendre des vacances ?

f. Les scientifiques .... (faire) toujours des hypothèses .... (conduire).

g. Le directeur du laboratoire .... (être) en négociations pour vendre le brevet.

h. Avant que la nouvelle ne .... (être) officielle, il .... (vouloir) encore la vérifier.

V. LES RELATIONS INTERPERSONNELLES

A. DEGRÉ DE RELATION

161 Complétez les phrases suivantes à l'aide des mots proposés : *entourage, collègue, connaissance, parent, inconnu, proche, intimes, compagnon, conjoint.*

   Exemple : Je le connais très peu, c'est une vague **connaissance**.

a. Depuis le voyage que nous avons fait ensemble, nous sommes devenus très ....

b. Nous ne faisons que travailler ensemble, c'est juste un ....

c. Je vis avec lui mais nous ne sommes pas mariés, c'est mon ....

d. Cet homme est un parfait .... pour moi. C'est la première fois que je le vois.

e. Max est un .... éloigné. Je crois que c'est un cousin de ma femme.

f. Martin est un ami très .... et très fidèle.

g. J'ai rencontré mon .... en Italie et nous nous sommes mariés en Belgique il y a trois ans.

h. Nous essayons d'entretenir de bonnes relations avec notre ....

B. PARLER DE QUELQU'UN

162 Écoutez et notez (+) si l'appréciation est positive et (–) si l'appréciation est négative.

   Exemple : (–)

a. ( )   e. ( )

b. ( )   f. ( )

c. ( )   g. ( )

d. ( )   h. ( )

163 Les prépositions. Complétez les phrases suivantes à l'aide des prépositions *à, de, par, pour, avec, sans, chez, sur, contre.*

   Exemple : Il a voulu se battre **contre** moi.

a. Ces plantes appartiennent .... notre voisin.

b. J'ai été averti de son accident .... une de ses amies.

c. Vous ne pouvez pas partir .... elle, c'est trop cruel !

d. Tout le monde est allé .... eux pour le réveillon du jour de l'an.

e. C'est .... nous, ces fleurs ? C'est trop gentil. Il ne fallait pas !

f. Tu as l'intention de sortir .... lui ? Mais c'est un malade !

g. Ils se sont jetés .... nous comme s'ils voulaient nous tuer !

h. Elle s'est bien occupée .... nous pendant les vacances, on était comme des coqs en pâte !

164 Les pronoms toniques. Complétez les phrases suivantes à l'aide de pronoms toniques.

Exemple : Pascal et *moi* voulions aller au cinéma. Laurence ne savait pas quoi faire alors elle est venue avec *nous*.

a. Jean-Michel et .... allez vous marier ?

b. Si tu la laisses seule, je reste avec .... !

c. Sébastien et moi avons l'intention de faire une fête la semaine prochaine, tu viendras chez .... ?

d. Ces garçons sont vraiment tristes. L'autre soir, tout le monde s'est amusé sauf ....

e. Si toi et Marc m'invitez, je viendrai chez .... avec grand plaisir !

f. Franck et .... sont deux idiots !

g. Elles ont refusé que j'aille avec .... à la piscine !

h. Fais comme ...., je ne m'inquiète jamais !

165 Remettez dans l'ordre les phrases suivantes.

Exemple : qui /lisait /est/ pallier /sur /La/ un/ fille/ ma /banc/ voisine /de.

La fille qui lisait sur un banc est ma voisine de pallier.

a. avec/C'/garçon/ai/mercredis/y/j'/connu/il/que/a/est/très/qui/longtemps/faisait/du/et/sport/./moi/tous/un/les

→ ....

b. s'/d'/personne/agit/que/avez/une/déjà/Il/vous/rencontrée.

→ ....

c. n'/voudrais/est/quelqu'un/Ce/pas/que/je/!/connaître

→ ....

d. que/avons/de/escalier/croisé/immeuble/nous/dans/homme/L'/l'/est/propriétaire/notre/./le

→ ....

e. amie/est/vous/une/Je/avons/qui/très/car/nous/grandi/proche/m'/présente/ensemble.

→ ....

f. vous/vos/ceux/de/jamais/conseille/disent/ne/écouter/Je/qui/mal/de/amis/./du

→ ....

g. gens/connaissons/qui/nous/nous/commencent/énerver/dix/depuis/à/et/que/ne/pas/Ces/sérieusement/m'/observent/./minutes

→ ....

h. Marcel/./perdu/de/numéro/était/celui/avons/que/nous/avais/téléphone/tu/donné/et/ton/qui/de/ami/le/Nous

→ ....

166 *Qui* ou *que*. Rayez ce qui ne convient pas.

Exemple : Je lui ai offert un cadeau qui / ~~que~~ / ~~qu'~~ était très original !

a. Ce ne sont pas des amis comme ça qui / que / qu' il te faut !

b. Nous avons revu la jeune femme qui / que / qu' habitait juste au-dessus l'année dernière.

c. Pourquoi n'avez-vous pas invité les personnes qui / que / qu' je vous avais présentées la semaine dernière ?

d. C'est quelqu'un qui / que / qu' est particulièrement sauvage.

e. Tu n'as pas envie de revoir le beau jeune homme qui / que / qu' nous avons rencontré en boîte et qui / que / qu' semblait s'intéresser à toi ?

f. Il s'agit du collègue qui / que / qu' elle a rejoint l'autre soir au café de la rue Legendre.

g. Est-ce que vous vous rappelez de la fille qui / que / qu' s'appelait Marie et qui / que / qu' je détestais quand j'étais petite ?

h. Ce sont des gens qui / que / qu' nous ne voulons plus voir et qui / que / qu' je te déconseille de fréquenter !

 167 *Qui, que, dont.* **Transformez les phrases suivantes comme dans l'exemple.**

> *Exemple :* C'est une personne. Je t'ai parlé d'elle.
> ***C'est la personne dont je t'ai parlé.***

a. J'adore les gens. Ils sont souriants.

→ ....

b. Il y a beaucoup de jeunes. Je ne les fréquente pas.

→ ....

c. C'est une cousine. Je suis très fière d'elle.

→ ....

d. J'ai une amie. Son courage est extraordinaire !

→ ....

e. C'est un nom. Il ne m'est pas inconnu.

→ ....

f. Ce sont des personnes. Je les ai côtoyées quelques années.

→ ....

g. J'ai reconnu sur la photo les amis. Ils étaient présents à ton anniversaire.

→ ....

h. C'est l'amie. Sa valise est restée chez toi.

→ ....

168 *Où.* **Transformez les phrases suivantes comme dans l'exemple.**

> *Exemple :* J'aime cet immeuble. J'y habite depuis trois ans.
> ***J'aime l'immeuble où j'habite depuis trois ans.***

a. J'ai rencontré Marie. Ce jour-là, il pleuvait des cordes.

→ ....

b. Il n'existe pas beaucoup de lieux pour y rencontrer des gens.

→ ....

c. Nous nous sommes fiancés en été. Il a fait très chaud cet été-là.

→ ....

d. C'est un café. Les gens adorent discuter là pendant des heures.

→ ....

e. Il est entré. C'est à ce moment-là que j'ai éternué bruyamment.

→ ....

f. Ils sont allés au cinéma. C'est dans ce cinéma que leurs parents s'étaient rencontrés.

→ ....

g. Vous avez vu le restaurant ? C'est là que Paul a fêté son anniversaire.

→ ....

h. On n'a pas trouvé de place pour ranger les affaires de notre invité.

→ ....

169 *Qui, que, dont, où.* **Complétez les phrases suivantes à l'aide du pronom relatif qui convient.**

Exemple : Sophie a très peu de relations. C'est une femme *que* tout le monde évite.

a. Pourtant, les gens .... la connaissent l'apprécient.

b. Ceux .... ne lui ont jamais parlé la trouve étrange.

c. Un jour, j'ai essayé de lui faire rencontrer des amis .... je lui avais souvent vanté les qualités.

d. Mais tous les gens .... je lui ai présentés ont été stupéfaits de son attitude.

e. À l'instant .... ils s'étaient approchés d'elle pour lui parler, elle avait tourné les talons.

f. Il s'agit seulement d'une attitude .... elle adopte par timidité et .... elle n'a pas vraiment conscience.

g. Si tu allais chez elle, tu verrais quelque chose d'extraordinaire. C'est un lieu absolument magique .... elle entasse des centaines d'objets insolites .... elle a dénichés dans des brocantes.

h. C'est une personne stupéfiante .... je te recommande d'approcher et .... ne te décevra jamais.

170 **Pronoms relatifs composés concernant des personnes. Transformez les phrases suivantes comme dans l'exemple.**

Exemple : Tu peux compter sur elle.

C'est une personne *sur qui tu peux compter. / sur laquelle tu peux compter.*

a. L'amitié est plus importante que tout pour elle.

C'est une personne ....

b. Tu peux avoir confiance en elle.

C'est une personne ....

c. Tu apprendras beaucoup de choses avec elle.

C'est une personne ....

d. Je lui donnerais facilement tout ce que je possède.

C'est une personne ....

e. Je me sens bien à côté d'elle.

C'est une personne ....

f. Je m'entends parfaitement bien avec elle.

C'est une personne ....

g. Je passe beaucoup de temps chez elle.

   C'est une personne ....

h. Je me sens perdu sans elle.

   C'est une personne ....

C. RECEVOIR

171 Reliez ces différents termes aux situations.

a. un dîner

b. un repas d'affaires

c. une fête

d. une collation

e. un pique-nique

f. une soirée

g. un goûter

h. une inauguration

1. pour grignoter quelque chose

2. pour discuter des termes d'un contrat.

3. pour recevoir beaucoup de monde en même temps

4. pour recevoir quelques amis autour d'un repas

5. pour l'anniversaire d'un enfant, par exemple

6. pour manger en plein air

7. pour boire un verre en l'honneur d'un nouveau lieu

172 Pronoms relatifs composés. Rayez ce qui ne convient pas.

   Exemple : J'ai décidé d'inviter seulement les gens pour lesquels / ~~lesquelles~~ j'ai une
   grande estime.

a. Nous avons disposé une table autour duquel / de laquelle nous avons mis quatre chaises

b. La nappe sur lequel / laquelle il y a les assiettes est tâchée.

c. Les soirées auxquels / auxquelles nous avons participé étaient formidables.

d. Les tiroirs dans lesquels / lesquelles étaient rangés les couverts se sont renversés.

e. La crème avec laquelle / à laquelle j'ai préparé la sauce est périmée.

f. Les personnes sur lesquelles / auxquelles j'avais pensé sont venues.

g. Les amis sur lesquels / pour lesquels je comptais le plus ont préféré ne pas venir.

h. La dame avec laquelle / de laquelle Paul est en train de parler est ma belle-mère.

173 Pronoms relatifs composés. Transformez les phrases suivantes comme dans
   l'exemple.

   Exemple : Il dort sur ce canapé depuis son arrivée.

         C'est le canapé *sur lequel il dort depuis son arrivée.*

a. Je vais préparer le repas de ce soir avec ces ingrédients.

   J'ai enfin trouvé les ingrédients ....

b. J'ai rangé les manteaux dans ce placard.

   C'est le placard ....

c. Je tiens énormément à ces bibelots.

   Ce sont des bibelots ....

d. Vous pouvez mettre les noyaux d'olive dans l'assiette.

J'ai apporté une assiette ....

e. Il y a une table en face de la fenêtre.

Vous trouverez votre sac sur la table ....

f. J'ai mis des crevettes dans les avocats.

Ce sont des avocats ....

g. J'ai préparé un ragoût avec ce vin.

C'est le vin ....

h. Nous participons souvent à des soirées ennuyeuses.

Les soirées ....

124 **Pronoms relatifs simples et composés. Complétez les phrases suivantes à l'aide du pronom relatif qui convient.**

Exemple : J'ai envie d'organiser une grande soirée pour Jean *qui* fêtera ses cinquante ans dans deux semaines.

a. Je vais inviter tous les amis .... il n'a pas de nouvelles depuis longtemps.

b. Alors, j'ai besoin que tu m'aides à trouver le carnet .... il a noté tous les numéros de téléphone des gens qu'il connaît.

c. Je crois que tu le trouveras dans la pièce .... il a l'habitude de passer tous ces après-midi.

d. On établira une liste de tous les gens .... Jean aimerait revoir.

e. Nous leur enverrons des cartons d'invitations .... ils devront se présenter à la soirée.

f. Je vais demander à un traiteur de préparer un repas .... sera composé de toutes les choses dont Jean raffole.

g. Je lui offrirai un vélo .... il pourra faire des balades et garder la forme.

h. Je veux que tout soit parfaitement réussi car Jean est un homme .... j'ai une très grande estime.

125 **Complétez librement les phrases suivantes.**

Exemple : Ce sont des gens avec lesquels *je suis partie en vacances l'été dernier.*

a. C'est la chaise sous laquelle ....

b. Je parlais avec l'homme à qui/auquel ....

c. C'est une boîte dans laquelle ....

d. Je vais aller dans un club où ....

e. Je pense que c'est une personne avec qui/avec laquelle ....

f. C'est une place sur laquelle / autour de laquelle ....

g. Ce sont des gens dont / de qui ....

h. J'ai revu quelqu'un que ....

D. CE N'EST PAS MOI, C'EST L'AUTRE

126 La mise en relief. Transformez les phrases comme dans l'exemple.

Exemple : J'ai lu ce livre. ***C'est moi qui ai lu ce livre.***

a. Nous sommes partis les premiers. ....

b. Je lui parlerai. ....

c. Vous nous avez menti. ....

d. Il est très en colère contre toi. ....

e. On leur dira la vérité. ....

f. Laurence va vous rejoindre. ....

g. Ils sont bizarres. ....

h. Je suis restée pour les aider à faire la vaisselle. ....

127 La mise en relief. Mettez en relief l'élément souligné.

Exemple : Je pense à <u>ma sœur</u>. ***C'est à ma sœur que je pense.***

a. Nous sommes partis en vacances <u>avec Léonie</u>. ....

b. Il a emprunté cette voiture <u>à son voisin</u>. ....

c. Ils se sont disputés <u>à cause de toi</u>. ....

d. Vous avez parlé <u>de nos problèmes d'argent</u> ? ....

e. Elle va venir juste <u>pour nous faire plaisir</u>. ....

f. Nous déménageons <u>la semaine prochaine</u>. ....

g. Je lui ai prêté <u>mon téléphone portable</u>. ....

h. On a envie d'aller <u>en Espagne</u>. ....

128 La mise en relief. Transformez les phrases comme dans l'exemple.

Exemple : Partir en voyage d'affaires n'est pas très motivant.

Ce n'est pas très motivant de partir en voyage d'affaires.

a. L'amitié coûte cher parfois. ....

b. Avoir des contacts est important. ....

c. L'agressivité me touche beaucoup. ....

d. Les enfants jouent beaucoup. ....

e. Téléphoner fait perdre du temps. ....

f. Recevoir des gens donne beaucoup de travail. ....

g. Tes amis sont très sympas. ....

h. Ta mère est incroyable ! ....

129 *Ce*, *c'* ou *ça*. Rayez ce qui ne convient pas.

Exemple : Manger trop de chocolat, ce / ~~c'~~ / ~~ça~~ n'est pas très bon pour la santé !

a. Regarder autant la télévision, ce / c' / ça est mauvais pour les yeux !

b. Parler autant, ce / c / ' ça ne lui ressemble pas !

c. N'écoute pas tout ce / c' / ça que l'on te raconte, ce / c' / ça sont des bêtises !

d. Ce / C' / Ça m'est égal si tu n'es pas d'accord ! Ce / C' / Ça ne va pas m'empêcher de dormir !

e. Ce / C' / Ça est incroyable ce / c' / ça que tu peux être susceptible !

f. Des vacances au soleil, ce / c' / ça est exactement ce / c' / ça dont j'ai besoin !

g. Moi, dîner en famille, j'adore ce / c' / ça ! Je sais que ce / c' / ça peut sembler bizarre pour certains.

h. Tu as vu ce / c' / ça ? Ce / C' / Ça est tout à fait surprenant !

180 *Ce, c', ça.* **Écoutez et réécrivez les phrases entendues en remplaçant** *cela* **par** *ce, c'* **ou** *ça.*

Exemple : **Un meuble à ce prix-là ! C'est vraiment exceptionnel !**

a. ....

b. ....

c. ....

d. ....

e. ....

f. ....

g. ....

h. ....

E. LA VALSE DES SENTIMENTS

181 Écoutez ces personnes et notez ce qu'elles ressentent. Vous avez le choix entre : la peur, le doute, l'indignation, la pitié, le regret, le dégoût, la méfiance, l'enthousiasme, l'admiration.

Exemple : **l'admiration.**

a. ....

b. ....

c. ....

d. ....

e. ....

f. ....

g. ....

h. ....

182 Reliez les phrases suivantes avec le sentiment qu'elles expriment.

a. S'en mordre les doigts.

b. Avoir une dent contre quelqu'un.

c. Ne pas en revenir.

d. Ne pas pouvoir voir quelqu'un en peinture.

e. En avoir gros sur la patate.

f. Ne pas avoir froid aux yeux.

g. Ne pas mettre sa main au feu.

h. Ne pas avoir d'atomes crochus avec quelqu'un.

1. la surprise
2. le doute
3. le regret
4. la colère
5. l'antipathie
6. la tristesse
7. le courage

183 Complétez le texte suivant avec les expressions utilisées dans l'exercice précédent.

Je **(1)** .... ! C'est incroyable ! Tu te rends compte ! Rosalie ouvre sa boîte avec Bertrand, alors qu'ils **(2)** .... depuis le jour de leur rencontre. Je ne sais pas comment ils vont travailler ensemble surtout après l'histoire avec Claudine. Ils n'avaient déjà **(3)** .... mais maintenant Rosalie a vraiment **(4)** .... Bertrand. Je **(5)** .... mais ils vont sûrement **(6)** .... d'ici peu. Évidemment, je récupérerai Rosalie qui **(7)** .... à cause de ce nouvel échec, mais cette fois-ci je n'aurai **(8)** ...., je lui dirai ses quatre vérités !!

184 Écoutez ces personnes et complétez par l'adjectif qui convient.

Exemple : Je comprends. C'est *émouvant !*

a. Un beau regard, c'est ....

b. Travailler beaucoup pour des clopinettes, c'est ....

c. Bien sûr, un examen, c'est toujours ....

d. Évidemment, le théâtre, c'est ....

e. Ça ne m'étonne pas ! Il a eu une attitude ....

f. C'est vrai, ses frères sont ....

g. Un beau film, c'est ....

h. Oui, ce discours-là était ....

185 Retrouvez le nom correspondant.

Exemple : Il est triste. *la tristesse*

a. Nous sommes furieux. ....

b. Ils nous haïssent. ....

c. Elle est désespérée. ....

d. Tu vas la consoler. ....

e. Ces gens m'indiffèrent. ....

f. Vous êtes émus. ....

g. Il méprise tout le monde. ....

h. Ils sont très inquiets. ....

186 Reliez ces phrases au mode correspondant à la partie soulignée.

a. J'espère que <u>tu réussiras</u>.

b. Elle est heureuse que <u>vous reveniez la semaine prochaine</u>.

c. Je ne crois pas qu'<u>ils prennent la bonne route</u>.

d. Tu es sûre qu'<u>ils viennent prendre l'apéro</u> ?

e. Mes collègues pensent que <u>je mange trop</u>.

f. Elle est consternée que <u>ses parents vendent la maison familiale</u>.

g. Ma femme savait que <u>nous revenions du resto et non du bureau</u>.

h. Il se réjouit qu'<u>elle accepte son invitation</u>.

1. Indicatif
2. Subjonctif

187 Complétez les phrases suivantes à l'aide des verbes entre parenthèses que vous conjuguerez au subjonctif présent.

Exemple : Je ne pense pas qu'il (falloir) *faille* croire tout ce qu'ils nous racontent.

a. Il aimerait que tu (savoir) .... combien il t'apprécie.

b. Il ne faut pas qu'ils (aller) .... faire les courses à sa place.

c. Je doute qu'il (pleuvoir) .... pour le pique-nique.

d. Ça m'énerve qu'elle (pouvoir) .... arriver avant nous à la réception.

e. Elle ne comprend rien. Que veux-tu que j'y (faire) .... !

f. Tu regrettes qu'il (avoir) .... de la chance aux jeux.

g. Elle ne supporte pas que tu (se réveiller) .... si tard tous les matins.

h. Il est possible que je ne (vouloir) .... pas le faire.

---

188 **Subjonctif présent ou infinitif. Transformez ces phrases comme dans l'exemple.**

Exemples : Je suis très étonné ; vous ne me parlez plus de mon augmentation.

Je suis très étonné que vous ne me parliez plus de mon augmentation.

Sylviane est furieuse ; elle est souvent en retard.

Sylviane est furieuse d'être souvent en retard.

a. Ils sont embarrassés ; leurs enfants font toujours des bêtises.

→ ....

b. Je suis écœurée ; je dois toujours passer après eux.

→ ....

c. Il est déçu ; il n'y a plus de chocolat.

→ ....

d. Ça m'énerve ; j'ai toujours peur.

→ ....

e. Nous sommes fatigués ; nous répétons cent fois nos ordres.

→ ....

f. Tu es chagriné ; on ne pourra pas se voir cette semaine.

→ ....

g. Vous êtes déçu ; vous ne recevez plus de ses nouvelles.

→ ....

h. Mes grands-parents sont ennuyés ; vous ne finirez pas les travaux pour demain.

→ ....

---

189 **Subjonctif présent ou indicatif. Complétez les phrases en cochant le verbe qui convient.**

Exemple : **1.** ☒ Je souhaite **2.** ☐ J'espère que vous fassiez le bon choix.

a. **1.** ☐ Croyez-vous **2.** ☐ Vous croyez

qu'il fera beau ?

b. **1.** ☐ Je me doute **2.** ☐ Je doute

qu'elle puisse transporter l'armoire toute seule.

c. **1.** ☐ Il me semble **2.** ☐ Il semble

qu'ils devront reporter la réunion à vendredi.

d. **1.** ☐ Il est probable **2.** ☐ Il est possible

que nous connaissions avant eux la nouvelle.

e. **1.** ☐ Il est peu vraisemblable **2.** ☐ Il est vraisemblable

qu'il apprenne le français correctement en si peu de temps.

f. **1.** ☐ Il ne fait pas de doute   **2.** ☐ Il n'est pas impossible
que je viendrai te voir à l'hôpital.

g. **1.** ☐ Il est douteux   **2.** ☐ Il est indubitable
que nous irons à Cuba pour nos prochaines vacances.

h. **1.** ☐ Elle n'est pas sûre   **2.** ☐ Elle est certaine
que tu arrives à la rembourser avant la fin du mois.

190 **Subjonctif présent ou indicatif. Complétez librement les phrases à l'aide des indications données.**

Exemple :   Je crois qu'ils **font un très beau couple.**

Il est douteux **qu'elles puissent y arriver.**

a. Pensez-vous qu'il ....

b. Ils sont sûrs que tu ....

c. Christine se doute qu'Anne ....

d. Tu n'as jamais cru que nous ....

e. Il semble qu'ils ....

f. Je doute que vous ....

g. Nous pensons que vous ....

h. Il me semble que tu ....

191 **Phonétique. Cochez pour signifier si les mots soulignés se prononcent [aj] ou [ɛ].**

Exemple :   Hier, j'ai eu mal au pied. **1.** ☐ [aj]   **2.** ☒ [ɛ]

Il faut que j'y aille. **1.** ☒ **[aj]**   **2.** ☐ [ɛ]

a. Ma mère met de l'ail dans tous ses plats, c'est écœurant ! **1.** ☐ [aj]   **2.** ☐ [ɛ]

b. Il faut qu'ils aient beaucoup de chance pour avoir gagné des billets pour la finale de Roland
Garros ! **1.** ☐ [aj]   **2.** ☐ [ɛ]

c. J'ai besoin que tu ailles à la boulangerie pour acheter des chouquettes. **1.** ☐ [aj]   **2.** ☐ [ɛ]

d. Aïe ! Arrête ! Tu me fais mal ! **1.** ☐ [aj]   **2.** ☐ [ɛ]

e. Il est énervé que tu arrives toujours en retard ! **1.** ☐ [aj]   **2.** ☐ [ɛ]

f. Je ne pense pas qu'il faille absolument tout acheter avant mercredi. **1.** ☐ [aj]   **2.** ☐ [ɛ]

g. Je ne crois que cela vaille la peine de leur téléphoner. **1.** ☐ [aj]   **2.** ☐ [ɛ]

h. Monique est heureuse que tu aies faim maintenant, comme ça, vous pouvez tout de suite
partir manger un morceau. **1.** ☐ [aj]   **2.** ☐ [ɛ]

192 **Orthographe. Complétez le texte à l'aide de :** *-ai, -aie, -aies, aient, -ais, -ait, -ès, -ê, -êt, -ei, -et, -e, est, -è.*

Exemple :   C'**est** l'histoire d'un petit bonhomme qui habit**ait** dans un chalet à 1000 mètres
d'altitude.

a. Il n'ét......... jam......... descendu dans la vallée. Il fais......... tout lui-même.

b. Il ne pens......... pas qu'il lui faudr......... descendre un jour en ville pour vendre son
l..........

c. Pourtant, ce jour arriva. Il descendit donc avec sa charrette et ses pots de l......... au marché du village qui se tenait pr......... de l'église.

d. Juste avant d'arriver au village, il traversa une for......... où des ge......... chant......... dans les h......... touffues.

e. Il port......... ce jour-là un très joli gil......... b.........ge assorti à son pantalon et son bér......... crème dont il ne se sépar......... jam......... !

f. Quand il arriva au village, le M.........re vint à sa rencontre et lui dit :

g. « Pour moi, il ét......... peu probable que tu te lib.........res et que tu vi.........nnes ce matin.

h. Je vois bien que j'......... eu tort. Je suis heureux que tu .... le courage d'affronter ta nouvelle client.........le ! »

193 Un(e) ami(e) vous a invité(e) à son mariage. Mais vous devez passer prochainement un examen très important pour votre avenir et vous ne vous sentez pas prêt(e). Écrivez-lui une lettre pour justifier votre absence.

....

....

....

....

....

....

....

....

....

Bilan

194 Soulignez la forme correcte dans ces lettres envoyées au courrier des lecteurs d'un magazine de psychologie.

*J'ai 35 ans. J'habite toujours chez mes parents. Mon entourage me dit de quitter mes parents pour vivre ma vie. Je pense qu'il me **(1)** faut / faille encore du temps pour préparer mes parents à l'idée de mon départ. Quand je leur ai dit que **(2)** j'avais / j'aie rencontré une jeune fille et que **(3)** j'étais / je sois amoureux d'elle, j'ai vu sur leur visage qu'ils **(4)** avaient / aient peur que je ne **(5)** pars / parte vivre loin de chez eux. Je suis fils unique. Ma mère a toujours voulu que je **(6)** suis / sois à ses côtés pour pouvoir me protéger. Mais ne croyez-vous pas que je **(7)** dois / doive prendre une décision rapidement ?*

Patrick

*Notre fille a 14 ans. Elle a un petit copain mais elle ne veut pas que nous le **(8)** savions / sachions. Je ne crois pas qu'elle **(9)** veut / veuille réellement nous mentir. Pourtant, elle* se cache pour téléphoner, elle chuchote pendant des heures. Elle nous dit qu'elle **(10)** a / ait rendez-vous avec sa meilleure amie Isabelle alors que je sais qu'elle **(11)** va / aille le retrouver. Je n'ose pas lui demander directement. Faut-il que je la **(12)** prends / prenne en flagrant délit de mensonge et que je la **(13)** punis / punisse ? Je ne sais plus quoi faire, aidez-moi ?

Catherine

Mon mari est accro aux échecs. Chaque soir, il s'installe devant son ordinateur pour jouer sur le net et le week-end, il joue en championnat. Je suis très fière qu'il **(14)** est / soit un très bon joueur mais ça m'énerve qu'il ne se **(15)** rend/rende pas compte que la vie de famille en pâtit. Il semble vraiment que nous **(16)** avons / ayons des problèmes de communication cependant je suis la seule à m'en apercevoir. Je ne pense pas qu'il **(17)** peut/puisse arrêter de jouer. Que puis-je faire ?

Sophie

Ma femme et moi sommes mariés depuis 3 ans. Nous avons un garçon qui s'appelle Vincent. Je crois que ma femme **(18)** veut / veuille me pousser à divorcer. Au début de notre mariage, elle faisait tout pour me rendre heureux : elle s'occupait de la maison, de moi et d'elle-même à la perfection. Depuis quelques mois, elle ne prend plus le même soin à effectuer tout cela. Je suis très déçu qu'elle ne le **(19)** fait / fasse plus. Mais comment lui dire si ce n'est pas intentionnel ? J'aimerais qu'elle **(20)** redevient / redevienne cette jeune femme que j'aimais. Sinon notre famille sera détruite. Est-il trop tard ?

Gérard

195 **Complétez les phrases suivantes à l'aide des prépositions et des pronoms relatifs qui conviennent.**

Exemple : C'est quelqu'un **avec qui** j'aime beaucoup discuter.

a. Ce sont des gens .... les enfants vont à l'école avec les nôtres.

b. Je ne suis pas toujours certaine que tu saches très bien .... tu parles.

c. Mon mari a revendu la voiture .... nous sommes partis en Espagne.

d. C'est un homme .... j'ai toute confiance.

e. Veux-tu que je te dise .... je pense de ton attitude ?

f. La personne .... tu vas ne m'inspire pas confiance.

g. C'est un endroit .... les gens sont à l'écoute les uns des autres.

h. C'est un projet .... je me suis battu.

VI. CHACUN CHEZ SOI

A. EXTÉRIEUR ET STRUCTURE

196 Cochez la bonne réponse à ces définitions.

Exemple : Terme général qui signifie « une construction » :

1. ☐ Une bastide **2.** ☒ Un bâtiment

a. Habitation des hommes préhistoriques : **1.** ☐ une grotte **2.** ☐ une bicoque

b. Habitation sur deux étages : **1.** ☐ un studio **2.** ☐ un duplex

c. Habitation de montagne : **1.** ☐ un chalet **2.** ☐ un mas

d. Une construction très délabrée : **1.** ☐ un hangar **2.** ☐ une ruine

e. Une maison de banlieue : **1.** ☐ un pavillon **2.** ☐ une chaumière

f. Une deuxième habitation
   pour les vacances : **1.** ☐ une cabane **2.** ☐ une résidence secondaire

g. Un petit château : **1.** ☐ un manoir **2.** ☐ un chalet

h. Une maison mobile tirée
   par des chevaux : **1.** ☐ une roulotte **2.** ☐ une caravane

197 Reliez les mots suivants à leur définition.

a. l'entrée

b. le cellier

c. le couloir

d. le grenier

e. la buanderie

f. la cave

g. le perron

h. les dépendances

1. Dans une propriété, ce sont les bâtiments annexes.

2. Il se situe sous le toit de la maison.

3. C'est l'escalier en haut duquel se trouve la porte d'entrée de la maison.

4. C'est la pièce où l'on entrepose le vin.

5. C'est une pièce dans laquelle on s'occupe du linge à laver.

6. Il permet d'aller d'une pièce à une autre.

7. Elle se situe sous une maison ou un immeuble.

8. C'est la pièce qui accueille les gens.

198 Cochez pour signifier si les matériaux proposés concernent les murs extérieurs ou le toit.

Exemple : Des poutres apparentes : **1.** ☒ Les murs **2.** ☐ Le toit

a. Des briques : **1.** ☐ Les murs **2.** ☐ Le toit

b. Des parpaings : **1.** ☐ Les murs **2.** ☐ Le toit

c. Des tuiles : **1.** ☐ Les murs **2.** ☐ Le toit

d. Des pierres : **1.** ☐ Les murs **2.** ☐ Le toit

e. Du zinc : **1.** ☐ Les murs **2.** ☐ Le toit

f. Du crépis :	**1.** ☐ Les murs	**2.** ☐ Le toit
g. Des ardoises :	**1.** ☐ Les murs	**2.** ☐ Le toit
h. Du chaume :	**1.** ☐ Les murs	**2.** ☐ Le toit

B. INTÉRIEUR

199 Cochez les parties de la pièce qui sont pas concernées.

Exemple : Le papier peint : **1.** ☒ Les murs **2.** ☐ Le sol **3.** ☐ Le plafond

a. Le lambris :	**1.** ☐ Les murs	**2.** ☐ Le sol	**3.** ☐ Le plafond
b. Le carrelage :	**1.** ☐ Les murs	**2.** ☐ Le sol	**3.** ☐ Le plafond
c. La moquette :	**1.** ☐ Les murs	**2.** ☐ Le sol	**3.** ☐ Le plafond
d. Les moulures :	**1.** ☐ Les murs	**2.** ☐ Le sol	**3.** ☐ Le plafond
e. Le marbre :	**1.** ☐ Les murs	**2.** ☐ Le sol	**3.** ☐ Le plafond
f. Le parquet :	**1.** ☐ Les murs	**2.** ☐ Le sol	**3.** ☐ Le plafond
g. La peinture :	**1.** ☐ Les murs	**2.** ☐ Le sol	**3.** ☐ Le plafond
h. Le linoléum :	**1.** ☐ Les murs	**2.** ☐ Le sol	**3.** ☐ Le plafond

C. MA MAISON EN RUINE

200 Soulignez les objets qui s'utilisent ensemble.

Exemple : une burette, de la colle, de l'huile

a. une ponceuse, du papier de verre, une enclume

b. un pinceau, un clou, un marteau

c. une perceuse, une scie, une mèche

d. une hache, une vis, un tournevis

e. une prise électrique, une rallonge, un escabeau

f. un rouleau, une pince, de la peinture

g. une vis, une cheville, une lime

h. une clé à molette, une scie, un boulon

201 Complétez les phrases suivantes à l'aide des mots proposés : *dénudés, fissurés, coincée, écaillée, grincent, grillées, bouchées, tâchée, cassés.*

Exemple : Les toilettes sont **bouchées**.

a. La peinture du plafond est ....

b. Les murs sont ....

c. Les portes ....

d. Les fils électriques sont ....

e. La moquette est ....

f. Les appareils électriques sont ....

g. La clé est .... dans la serrure.

h. Toutes les ampoules sont ....

202 Écoutez les questions et répondez-y à l'aide des mots proposés : *boucher, poncer, nettoyer, déboucher, enduire, remplacer, réparer, huiler, appeler.*

    Exemple : Il faut les **déboucher.**

a. Je vais le ....

b. Nous allons l'................

c. Il faut .... les gonds.

d. Je vais le ....

e. Tu dois .... un serrurier.

f. On va les ....

g. Je vais la ....

h. Il faut la ....

203 Reliez les expressions suivantes à leur définition.

a. Il est resté cloué au lit pendant trois mois.

b. Il est complètement marteau.

c. Il est vraiment pot de colle.

d. Il a fait tâche d'huile.

e. Il a eu les jambes sciées.

f. Il lui manque un boulon.

g. Il est resté vissé à son fauteuil.

h. Son dos est comme du papier de verre.

1. Il veut toujours être avec moi.

2. Les autres ont fait comme lui.

3. Il a été très malade.

4. Il a été très choqué.

5. Il a la peau très sèche.

6. Il est fou.

7. Il n'a pas bougé.

204 Adverbes de manière. Transformez les adjectifs suivants en adverbes.

    Exemple : délicat : **délicatement**

a. tranquille : ....

b. efficace : ....

c. long : ....

d. sérieux : ....

e. discret : ....

f. mou : ....

g. gentil : ....

h. naïf : ....

205 Adverbes de manière. Transformez les adjectifs suivants en adverbes.

    Exemple : bruyant : **bruyamment**

a. savant : ....

b. intelligent : ....

c. évident : ....

d. élégant : ....

e. méchant : ....

f. fréquent : ....

g. récent : ....

h. patient : ....

206 Transformez les phrases suivantes à l'aide des adverbes correspondants.

    Exemple : Il fait du bruit quand il bricole. **Il bricole bruyamment.**

a. Vous avez été très gentils de m'aider. ....

b. Elle répare très bien les chaises. C'est merveilleux ! ....
....

c. Cette perceuse fonctionne avec efficacité. ....

d. Nous faisons preuve de beaucoup de patience quand nous attendons. ....
....

e. Ils font du travail sérieux. ....

f. Cette interdiction est formelle. ....

g. Soyez prudent quand vous percez le mur ! ....

h. Il n'est jamais attentif quand il change les ampoules. ....

....

207 *Faire faire.* **Transformez les phrases comme dans l'exemple.**

Exemple : Il va faire repeindre son appartement par son voisin.
Son voisin va repeindre son appartement.

a. On a fait refaire l'électricité par un électricien que Paul connaissait.

→ ....

b. Elle fera construire une mezzanine par un de ses amis.

→ ....

c. Quand j'aurai fait réparer le chauffe-eau par le plombier, je pourrai rentrer chez moi.

→ ....

d. Tu as fait établir un devis par l'entrepreneur ?

→ ....

e. Vous allez faire nettoyer votre moquette par une entreprise spécialisée.

→ ....

f. Nous voudrions faire rénover notre chalet en Suisse par un artisan sérieux.

→ ....

g. J'aimerais faire changer les volets de ma maison de campagne par une société compétente.

→ ....

h. Il souhaiterait faire refaire sa salle de bains par un carreleur expérimenté.

→ ....

208 *Faire faire.* **Écoutez et répondez aux questions comme dans l'exemple.**

Exemple : Non, je *vais la faire remplacer.*

a. Non, on ....

b. Non, elle ....

c. Non, on ....

d. Non, tu ....

e. Non, elles ....

f. Non, j'..

g. Non, il ....

h. Non, nous ....

209 **Complétez les phrases suivantes à l'aide des mots** *emmener, amener, ramener, apporter*
ou *emporter, remporter* **que vous conjuguerez au temps adéquat.**

Exemple : Il *a apporté* tout ce dont nous avions besoin pour rénover le salon.

a. Tu veux bien .... Claudine au magasin de bricolage pour qu'elle puisse choisir le
papier-peint ?

b. Il .... tout le matériel avec lui quand il partira.

c. J'aimerais bien que vous .... quelques amis bricoleurs avec vous quand vous
viendrez la prochaine fois !

d. Quand ils sont venus, ils .... de la peinture et quand ils sont repartis, ils l'ont .... ! Tu te rends compte !

e. Tu veux bien me .... jusque chez moi parce que je suis très chargée avec tout ce matériel.

f. Avant que vous n'................ Élodie voir un avocat, essayez de trouver un arrangement avec l'entrepreneur !

g. Il a eu un accident en .... le menuisier chez lui.

h. .... qui tu veux, j'ai besoin d'aide pendant les travaux !

210 **Reliez les verbes ayant le même sens.**

a. épargner   1. arranger

b. vendre   2. détériorer

c. démolir   3. économiser

d. réparer   4. acquérir

e. construire   5. céder

f. s'écrouler   6. s'effondrer

g. abîmer   7. détruire

h. acheter   8. bâtir

211 **Construction d'une maison. Notez les actions de 1 à 8 pour rétablir l'ordre chronologique.**

a. acheter le terrain (*1*)

b. s'occuper de la toiture et ensuite des finitions (   )

c. contacter un architecte et un constructeur (   )

d. discuter du plan (   )

e. pendre la crémaillère (   )

f. concevoir l'installation électrique et hydraulique (   )

g. monter les murs (   )

h. faire les fondations (   )

212 **Professions. Complétez ces phrases à l'aide des mots proposés :** *électricien, couvreur, notaire, plombier, carreleur, menuisier, architecte, maçon, charpentier.*

     Exemple : Ça y est ! Nous dormons enfin dans notre maison ! Le **notaire** chez qui nous avons signé l'acte de vente nous a bien conseillés.

a. Un bon .... a conçu les plans de notre maison.

b. Le .... a pu faire les fondations et monter les murs assez rapidement car le temps était très clément.

c. Le .... qui se chargeait de l'escalier en colimaçon a dû attendre l'arrivée de l'ébène que nous avions commandé.

d. Nous avons donné du fil à retordre à l'................ car nous voulions beaucoup d'appliques murales.

e. Le .... n'a pas été gâté, lui non plus, car nous voulions, au moins, une salle de bains par niveau.

f. Le .... a fait un travail magnifique qui correspondait exactement à nos souhaits : nous voulions que les poutres du salon soient apparentes.

g. Le .... a posé des tomettes provençales sur le sol du salon et celui de la terrasse.

h. De jolies tuiles romaines ont été posées sur le toit par le ....

D. LOUER OU ACHETER UN LOGEMENT

213 **Complétez les phrases suivantes à l'aide des mots proposés :** *colocataire, charges, caution, quittance, bail, l'état des lieux, loyer, loué, garantie.*

Exemple : Quand j'ai enfin quitté le domicile de mes parents à 29 ans, j'ai **loué** un petit appartement en plein Paris.

Je venais juste de finir mes études et je ne travaillais que depuis 2 mois, mes parents ont dû se porter **(1)** .... auprès du propriétaire. Le **(2)** .... n'était pas bon marché pour l'époque. Je me rappelle, je payais dans les 3 900 francs mensuel hors **(3)** .... pour un 3 pièces de 45 m². Nous avons donc signé un **(4)** .... de trois ans renouvelable par tacite reconduction. Avant de me donner définitivement les clés, nous avons dû faire **(5)** .... pour qu'à l'issue du contrat, le propriétaire me rende les trois mois de loyer de **(6)** .... que je lui avais versés. Quand j'ai eu ma première **(7)** ...., je me suis rendu compte que cela allait être difficile avec mes revenus. J'ai donc décidé de prendre un **(8)** .... avec qui j'ai partagé tous les frais afférents à ce logement.

214 **Nominalisation. Retrouvez le nom correspondant aux verbes proposés.**

Exemple : verser : **un versement**

a. hypothéquer : une ....

b. rembourser : un ....

c. garantir : une ....

d. rémunérer : une ....

e. emprunter: un ....

f. dépenser : une ....

g. prélever : un ....

h. prêter : un ....

215 **Exprimer le but. Soulignez les expressions qui permettent d'exprimer un but à atteindre ou à éviter.**

Exemple : Vous cherchez une épargne sans risque **pour** préparer l'avenir de vos enfants

a. Nous avons un produit d'épargne en vue de la retraite très bien rémunéré.

b. Souscrivez un plan d'épargne éducation pour vos enfants afin qu'ils ne soient pas coincé quand les études supérieures arriveront.

c. Je vous conseille de verser 230 € dès aujourd'hui sur un Plan d'Épargne Logement (P.E.L pour que vous investissiez dans la pierre dans quatre ans.

d. Nous vous conseillons de prendre cette assurance invalidité aujourd'hui même de peur qu vous n'ayez des problèmes de santé très prochainement.

e. Votre épouse a déjà pris ce produit à titre personnel afin d'éviter à vos enfants des démarches désagréables au moment de son décès.

f. Ne réfléchissez pas trop longtemps pour ne pas manquer cette opportunité.

g. Nous avons répondu à toutes vos questions dans le but de remplir à la perfection notre rôle.

h. Votre mari m'en a parlé de sorte que nous fassions le nécessaire aujourd'hui.

216 **Exprimer le but. Faites des phrases, à l'aide des éléments donnés, en employant une expression de but suivie de l'infinitif ou du subjonctif.**

Exemple : Vous devez prendre rendez-vous. Je ne pourrai pas vous recevoir correctement. ***Vous devez prendre rendez-vous de peur que je ne puisse pas vous recevoir correctement.***

a. Vous avez apporté vos bulletins de salaire. Nous préparerons ensemble votre dossier de prêt immobilier. → ....
....

b. La banque est obligée de prendre une hypothèque sur votre bien. Vous n'arriverez pas à rembourser votre emprunt. → ....
....

c. Vous devez avoir un coefficient d'endettement en-dessous de 30 %. Vous rembourserez facilement votre emprunt. → ....
....

d. Nous voulons acheter une maison. Nous laisserons cette maison à nos enfants plus tard.
→ ....

e. Nous avons un apport personnel. Nous réduisons le montant du prêt.
→ ....

f. Mes parents me donnent de l'argent. Je peux payer les frais notariés.
→ ....

g. Nous avons signé le compromis de vente hier. La vente aura lieu dans trois mois.
→ ....

h. Nous rembourserons ce prêt sur 20 ans. Nous n'aurons pas de grosses mensualités.
→ ....

217 **Exprimer le but. Complétez librement les phrases suivantes à l'aide de l'infinitif, du subjonctif ou d'un nom.**

Exemple : J'ai besoin que tu me prêtes de l'argent afin de *payer mon loyer.*

a. Tu as invité 50 personnes dans ton nouvel appartement pour ....

b. Elle ne leur a pas téléphoné pour annuler le déménagement de peur qu'ils ....
....

c. Nous ne sommes pas passés vous voir de crainte de ....
....

d. Les clients qui ont un Plan d'Epargne Logement arrivant à échéance doivent passer à l'agence pour que ....

e. Vos problèmes financiers nous intéressent ! Téléphonez-nous en vue d' ....
....

f. Votre argent ne vous rapporte aucun intérêt ? Contactez votre banque afin que l'on ......
....

g. Nous ne voulons pas être mutés en province de peur de ....
....

h. Aujourd'hui, ma sœur a un rendez-vous avec son banquier pour ....
....

E. ET MAINTENANT... DÉMÉNAGEONS !

218 **Reliez les définitions suivantes aux verbes correspondants.**

a. Traiter quelqu'un avec égards.
b. Changer de logement.
c. S'installer dans un nouveau logement.
d. Employer (un bien) avec mesure.
e. Modifier pour rendre plus commode.
f. Se reposer.
g. Installer un lieu pour un certain usage.
h. Être fou.

1. emménager
2. ménager
3. aménager
4. déménager
5. se ménager

219 **Complétez les phrases suivantes avec les verbes utilisés dans l'exercice précédent** *ménager, déménager, emménager, aménager, se ménager.*

> **Exemple :** Nous **déménageons** en septembre pour que les enfants finissent leur année scolaire dans l'école actuelle.

a. Depuis son accident, elle .... afin de pouvoir reprendre son travail le plus tôt possible.

b. Depuis quelque temps, sa mère .... complètement, il est obligé de la .... de peur qu'elle ne fasse une bêtise.

c. J'ai décidé d'................. les combles pour en faire un bureau.

d. Vous .... la semaine prochaine pour que nous puissions venir vous aider.

e. Le week-end, tu n'es jamais là ! Tu devrais mieux .... ton emploi du temps pour que je ne prenne pas la décision de te quitter.

f. Avec cette chaleur, les déménageurs devraient .... leurs forces de façon pouvoir finir aujourd'hui.

g. Vous .... afin de ne pas être surmené, mais il ne faut pas trop exagérer !! Cela fait 3 semaines que je vous ai demandé de classer ce dossier dans cette armoire !

h. C'est la troisième fois que les Dulac .... en une année, histoire de ne pas s'ennuyer.

220 Exprimer le but. Transformez les phrases comme dans l'exemple.

> *Exemple :* Appelle les déménageurs ! Nous voulons savoir quand ils arrivent.
> ***Appelle les déménageurs que nous sachions quand ils arrivent !***

a. Ouvrez les portes de votre camion ! Mon époux veut regarder si rien n'est cassé.

→ ....

b. Donnez-nous le mètre ! Nous voulons vérifier les mesures de votre cuisine.

→ ....

c. Dépêchez-vous ! Je ne veux pas avoir à le faire moi-même.

→ ....

d. Regardez partout ! Je veux savoir si vous n'avez rien oublié.

→ ....

e. Attends ! Ta mère veut prendre une photo de la maison.

→ ....

f. Prends ce carton ! Je veux le monter dans la chambre bleue.

→ ....

g. Va aider ton père à bricoler ! Je veux aménager tranquillement le salon.

→ ....

h. Fais attention ! Je ne veux pas aller à l'hôpital aujourd'hui, je n'ai pas le temps.

→ ....

221 Exprimer le but. Avec ou sans « *pour* ». Écoutez et répondez aux questions en omettant, quand c'est possible, la préposition « *pour* ».

> *Exemples :* (chercher une lampe) ***Elle est montée dans le camion chercher une lampe.***
> (repeindre la salle à manger) ***J'ai mis ces cartons dans la chambre pour repeindre la salle à manger.***

a. (acheter du papier-peint) ....

b. (décorer la salle de bains) ....

c. (faire de la place) ....

d. (les vendre) ....

e. (prendre rendez-vous) ....

f. (aider à déménager) ....

g. (changer ses rideaux) ....

h. (le nettoyer) ....

F. AMÉNAGER LA MAISON

222 Formes. Complétez les phrases suivantes à l'aide des mots : *cubique, hexagonal, courbé, octogonal, cylindrique, vertical, sphérique, triangulaire, rectangulaire.*

> *Exemple :* C'est un objet debout, il est ***vertical.***

a. C'est une boule, elle est ....

b. Il a six côtés, il est ....

c. C'est un carré en trois dimensions, il est ....

d. Il a trois côtés, il est ....

e. Deux de ses côtés sont plus longs que les deux autres, il est ....

f. Sa ligne est arrondie, il est ....

g. Il ressemble à une boîte de conserve, il est ....

h. Il a huit côtés, il est ....

223 **Couleurs. Complétez les phrases suivantes à l'aide de l'adjectif** *bleu.*

Exemple : J'ai acheté des rideaux **bleus**.

a. Une lumière .... dans cette pièce serait parfaite.

b. Nous avons choisi des éléments .... pâle pour la cuisine.

c. Dans la chambre, les draps sont .... marine.

d. Il m'a offert des fleurs .... pour le salon.

e. Allez-vous repeindre l'entrée en .... ?

f. Les assiettes sont en porcelaine ....

g. Vous devez choisir entre ces deux ....

h. Que préfèrerais-tu, une salle à manger .... clair ou .... foncé ?

224 **Tissus. Complétez le dialogue à l'aide des mots proposés :** *à motifs, uni, bicolores, à* *rayures, ton sur ton, à carreaux, à pois, chatoyant, écossaises.*

Exemple : – Bonjour, Madame. Je peux vous aider ?

– Oui, je cherche du tissu avec des lignes verticales...

– À rayures ?

– Oui, c'est ça ! Je voudrais aussi des serviettes de bains marron mais d'une

seule couleur...

a. – .... ?

– Ah oui, tout à fait ! Et puis, je voudrais voir ce que vous avez comme draps avec des

petits dessins...

b. – .... ?

– Parfaitement ! Après ça, j'aimerais savoir si vous avez des nappes avec des choses en

reliefs mais de la même couleur.

c. – .... ?

– Exactement ! Et aussi, des serviettes de table avec des petits carrés...

d. – .... ?

– Mais non, ça c'est pour les kilts ! Non, ce sont des carrés de deux couleurs différentes

e. – .... ?

– Voilà ! Et puis j'aimerais trouver un beau tissu qui change de couleur selon la lumière...

f. – .... ?

– Oui, c'est ça ! Et quoi d'autre ? Ah oui, un tissu léger, bleu avec des petits ronds blancs...

g. – .... ?

– Oui, c'est absolument ça ! Enfin, je cherche des rideaux de deux couleurs...

h. – .... ?

– Oui !

– Bien Madame, venez avec moi, je vais vous montrer ce que nous avons à vous proposer

225 Couleurs. Reliez les expressions suivantes à leur définition.

a. Se mettre au vert.
b. Être fleur bleue.
c. Broyer du noir.
d. Voir rouge.
e. Avoir le feu vert.
f. Donner carte blanche.
g. En voir de toutes les couleurs.
h. Être blanc comme neige.

1. Être très en colère.
2. Laisser à quelqu'un la possibilité de faire ce qu'il désire.
3. Partir se reposer à la campagne.
4. Avoir l'autorisation de commencer quelque chose.
5. avoir de sombres pensées
6. Être à l'abri de tous soupçons.
7. Vivre des expériences difficiles.
8. Être romantique.

G. ACHATS

226 *Paul et Virginie se marient en mai prochain. Ils veulent déposer une liste de mariage dans un grand magasin. Ils sont devant leur ordinateur sur le site Internet et discutent pour choisir ce qui leur manque.* **Écoutez ce dialogue et soulignez les objets qu'ils choisissent de faire figurer sur leur liste de mariage.**

> *Exemple :* Assiettes carrées – ***plates*** – ovales – ***creuses*** – rondes – ***de présentation*** – **à dessert**

a. Plat à poisson rectangulaire – rond – carré – ovale – fantaisie
b. Saladier – Plat à viande – Légumier – Ramequins – Plat à tarte
c. Assiettes – Fourchettes – Couteaux – Cuillères – Plat à dessert
d. Ménagère 89 pièces – 49 pièces – 99 pièces – 29 pièces – 59 pièces
e. Louche – Couverts à salade – Couverts de service – Pelle à tarte
f. Verres à eau – à cocktail – à vin – à whisky – à champagne
g. Théière – Broc – Cafetière – Carafe – Crémier
h. Poêle avec couvercle – Casseroles – Poêle anti-adhérente – Cocotte-minute

227 Transformez les phrases suivantes à l'aide du superlatif qui convient.

> *Exemple :* Le canapé rouge est plus confortable que le vert.
> Non, c'est le vert *le plus confortable.*

a. Ces lampes-ci sont plus jolies que celles-là.
   Non, ce sont ....
b. La chambre de Théo est plus grande que celle de Suzanne.
   Oui, celle de Suzanne est ....
c. Notre décoratrice est meilleure que celle des Leroy.
   Oui, la nôtre ....
d. Est-ce que ces plantes sont résistantes ?
   Oui, ce sont ....
e. Auriez-vous de bonnes chaises ?
   Oui, celles-ci sont ....

f. Ces rideaux sont vraiment laids.

Non, ce ne sont pas ....

g. Les fours à micro-ondes sont plus pratiques que les fours traditionnels.

Oui, les fours traditionnels ....

h. Cette bibliothèque est trop volumineuse.

Non, au contraire, c'est ....

228 **Transformez les phrases suivantes à l'aide d'un superlatif.**

Exemple : Ce réfrigérateur a fonctionné plus longtemps que tous ceux que j'ai eus auparavant.

De tous les réfrigérateurs que j'ai eus auparavant, ***c'est celui qui a fonctionné***
le plus longtemps.

a. J'ai acheté ce lave-vaisselle parce qu'il était moins bruyant que tous les autres dans le
magasin.

→ J'ai acheté ce lave-vaisselle parce que ....

b. Je bricole plus que toi.

→ De nous deux, ...

c. Ce couteau coupe mieux que tous les autres.

→ De tous les couteaux, ...

d. Cette nappe est moins chère que toutes les autres.

→ .... de toutes.

e. Cette chaudière consomme moins que l'autre.

→ .... des deux.

f. Cette cuisinière a plus de fonctions que toutes celles que j'ai vues.

→ De toutes celles que j'ai vues, ...

g. Ce robot se vend mieux que les autres.

→ Parmi les robots, ...

h. Si cela est possible, nous voudrions une machine à laver avec peu de boutons.

→ Nous voudrions une machine à laver .... possible

H. OMBRES ET LUMIÈRES

229 **Complétez ces phrases à l'aide des mots proposés :** *chandelles, torches, lustre, bougeoir,*
lampe de poche, bougies, lampe témoin, lampe de chevet, lampadaire.

Exemple : Encore une panne de courant ! Prends le ***bougeoir*** qui est sur l'étagère de la
cuisine avec les allumettes, et descends à la cave voir les fusibles !

a. Vous avez bien tout ce qu'il vous faut pour camper ? Vous n'avez pas oublié votre ....
......................, par hasard ?

b. Je ne sais pas pourquoi, Emma a la manie de laisser allumer toute la nuit sa ....
On voit bien que ce n'est pas elle qui paie les factures !

c. Pour la Saint-Valentin, j'ai prévu d'inviter Sophie pour un dîner aux .... sur la terrasse de la Tour Montparnasse. Tu crois que cela lui plaira ?

d. Allume la télé ! Mais si ! Tu peux avec la télécommande. Tu vois bien que la .... est allumée !

e. Ton père aura 70 ans. Tu dois acheter 70 .... pour mettre sur son gâteau d'anniversaire !

f. – Qu'est-ce que c'est que ce truc accroché au plafond ? – Mais tu sais bien, c'est le .... de ma grand-mère !

g. Nous vous prions de prendre les .... qui se trouvent sur votre droite, avant la visite de la grotte. Merci !

h. L'avantage avec ce .... LUX 2000, c'est sa légèreté. Vous pourrez le déplacer facilement !

230 **Complétez ce texte à l'aide des mots proposés :** *prises, rétablir, interrupteur, s'électrocuter, ampoule, couper, abat-jour, montage, douille.*

Mon mari est très bricoleur. Quand il s'occupe de l'électricité, il est obligé de couper le courant pour ne pas *(1)* .... Parfois cela concerne une simple *(2)* .... qui a grillé. Il la change avant de *(3)* .... le courant. Mais d'autres fois, cela concerne le *(4)* .... électrique d'une lampe. Il doit donc tout démonter. À ce moment-là, j'ai toujours peur qu'il abîme l' *(5)* .... Il retire la *(6)* .... pour vérifier si les fils électriques sont bien fixés. Il vérifie aussi l'*(7)* .... et les *(8)* .... Une fois ces vérifications terminées, il rebranche la lampe et allume. Si la lumière se diffuse, c'est qu'il a réussi sa réparation !

231 **Reliez les expressions suivantes à leur définition.**

a. Ce n'est pas une lumière.   1. Être redevable envers une personne.

b. Mettre quelqu'un à l'ombre.   2. Ne pas être très intelligent.

c. Faire des étincelles.   3. Laisser à quelqu'un le soin de continuer une action déjà commencée.

d. Devoir une fière chandelle à quelqu'un.

e. S'en mettre plein la lampe.   4. Être dupe.

f. Passer le flambeau à quelqu'un.   5. Emprisonner quelqu'un.

g. Ça fait des lustres.   6. Manger et boire abondamment.

h. N'y voir que du feu.   7. Il y a très longtemps.

                                      8. Être brillant.

232 **Complétez le texte suivant avec les expressions utilisées dans l'exercice précédent. Mettez au temps qui convient.**

Quand Franck était petit *(1) ce n'était pas une lumière* et pourtant il a réussi à devenir le bras droit d'un grand industriel. Comme Franck *(2)* ...., il a accepté de faire tous les boulots qu'il lui demandait de faire. Ce n'était pas du travail très honnête, mais Franck *(3)* .... C'est ainsi qu'un jour, on l'*(4)* ....

pour plusieurs années. Il payait pour son patron. À sa sortie de prison, il est entré dans le premier resto qu'il a trouvé pour **(5)** .... Quand il est allé rendre visite à son boss, celui-ci, qui devenait vieux, lui a dit qu'il **(6)** .... Depuis, il **(7)** .... et prouve à tout le monde que n'importe qui peut changer. Maintenant, il a oublié cette histoire parce que **(8)** .... que c'est arrivé.

I. MATIÈRES

233 Complétez les phrases suivantes à l'aide des mots proposés : *coton, porcelaine, inox, toile cirée, satin, dentelle, chêne, laine.*

    Exemple : Les draps sont en **satin.**

a. La table de la cuisine est recouverte d'une ....
b. Le canapé est recouvert d'un tissus de ....
c. Les couvertures sont en ....
d. Les serviettes de toilettes sont en ....
e. Les meubles sont en ....
f. Le lavabo est en ....
g. L'évier est en ....
h. Les rideaux sont en ....

234 Complétez les mots soulignés avec *-s* si nécessaire.

    Exemple : Où as-tu mis les <u>ouvre-boîte**s**</u> ?

a. Il nous faudrait au moins deux <u>armoire</u>... <u>à linge</u> supplémentaires.
b. J'ai acheté plusieurs <u>couvre-lit</u>... pour pouvoir changer quand j'en ai envie.
c. Tu devrais changer tes <u>abat-jour</u>..., il sont affreux !
d. Vous avez cassé toutes les <u>sous-tasse</u>... !!!
e. Je ne veux pas me séparer de ces bibelots : ce sont des <u>porte-bonheur</u>... !
f. Il a déjà vendu trois <u>lave-vaisselle</u>... depuis ce matin.
g. Que penses-tu de ces coupes ? Ça pourrait faire de très jolis <u>rince-doigt</u>... !
h. Nous avons commandé de très élégantes <u>flûte</u>... <u>à champagne</u>....

235 Complétez les phrases à l'aide de *de* ou de *à*.

    Exemple : Le matin, je mange un bol **de** céréales.

a. Nous avons acheté six tasses .... café.
b. Ces cuillères .... soupe sont assorties aux fourchettes.
c. Si tu mets une cuillère .... sucre dans cette crème, elle sera meilleure !
d. Il a dévoré un énorme plat .... pâtes à lui tout seul.
e. Est-ce que je te sers une tasse .... thé ?
f. Il faut beurrer ton plat .... tarte avant d'y mettre la pâte.
g. Je vais t'offrir un pot .... confiture à la fraise.
h. Nous voudrions des verres .... pied pour y verser le vin.

Bilan

236 Complétez les phrases à l'aide des mots : *travaux, rénover, électricité, tissus, ruine, lumineuse, carrelage, résidence secondaire, moquette.*

Exemple : Nous avons acheté une magnifique **résidence secondaire**.

a. Mais elle était un peu en ....

b. Il a donc fallu la ....

c. Ma femme s'est occupée de la décoration. Elle a choisi la peinture et les ....

d. J'ai fait tous les .... avec un copain.

e. On a refait le .... dans la cuisine et la salle de bains.

f. On a changé la .... dans les chambres.

g. Mais je n'ai pas voulu toucher à l'..................

h. C'est une maison très ....

237 Complétez les phrases suivantes avec des expressions de but.

Exemple : Nous avons emprunté à la banque en **vue** d'acheter une propriété.

a. Mais .... que les banquiers prêtent de l'argent, il faut offrir toutes les garanties.

b. Ma belle-mère est venue dans le .... de nous aider à les convaincre.

c. Nous avons discuté longtemps de .... à obtenir ce prêt.

d. Nous avons dû fournir tous les papiers nécessaires de .... que l'affaire nous échappe.

e. Nous avons signé de nombreux documents .... de rassurer notre interlocuteur.

f. Après la signature, nous sommes allés dans un restaurant .... fêter ça.

g. Puis, nous sommes allés à l'agence immobilière de .... que nous puissions signer le contrat de vente.

h. Mais l'agent avait déjà vendu la maison de .... que la banque ne nous prête pas l'argent nécessaire !

VII. LES CITADINS ET LES RURAUX

A. LES CITADINS

238 Notez de 1 à 8 de la zone la plus grande à la plus petite.

a. agglomération urbaine ( )

b. quartier ( )

c. pays (**1**)

d. département ( )

e. pâté de maison ( )

f. région ( )

g. arrondissement ( )

h. ville ( )

239 Écoutez le document puis cochez pour signifier si ces affirmations sont vraies (V) ou fausses (F).

Exemple : Plus la ville est importante, moins les gens sont satisfaits. (**V**)

a. Les habitants de la banlieue parisienne sont plus satisfaits que les habitants des banlieues des autres villes. ( )

b. ZUS signifie Zone Urbaine sensible. ( )

c. Le fait d'habiter dans un immeuble ou une maison individuelle ne joue pas un rôle important. ( )

d. Certaines personnes se plaignent des nuisances sonores. ( )

e. La situation professionnelle joue un rôle important dans l'indice de satisfaction. ( )

f. Dans l'agglomération parisienne, les gens sont majoritairement insatisfaits de leur quartier. ( )

g. « Le chômage sévit » signifie qu'il est quasiment inexistant. ( )

h. Les cités et les grands ensembles sont des quartiers résidentiels. ( )

240 Rayez les mots qui ne conviennent pas aux définitions.

Exemple : Lieu sur lequel circulent les voitures : la chaussée / ~~la rue~~

a. Lieux sur lesquels marchent les piétons : les pavés / les trottoirs.

b. Éclairage de la ville : les lampadaires / les réverbères.

c. Partie située entre le trottoir et la chaussée et dans lequel coule souvent de l'eau : le caniveau / le ruisseau.

d. Lumières qui indiquent aux automobilistes quand il faut ralentir ou s'arrêter : les feux tricolores / les feux d'arrêt.

e. Lieux sur lesquels les citadins sont invités à traverser une rue : les passages à niveau / les passages piétons.

f. Espaces verts citadins : les squares / les champs.

g. Machine qui permet d'appeler l'habitant d'un immeuble et de se présenter à lui avant qu'il ne déclenche l'ouverture de la porte d'entrée : un audiophone / un interphone.

h. Couloir destiné à la circulation des vélos : une piste cyclable / une voie à vélos.

241 Complétez les phrases suivantes à l'aide de *sur* ou *dans*.

Exemple : Je loue un appartement ***dans*** une rue calme.

a. Le marché a lieu tous les mardis et vendredi .... la place.

b. Il a garé sa voiture .... le trottoir.

c. Nous nous sommes promenés .... le quartier du Marais.

d. Je suis monté .... le bus le premier.

e. On s'est rencontrés par hasard .... le boulevard Magenta.

f. Le chien a fait ses besoins .... le caniveau.

g. Ils se sont assis .... les marches de l'église.

h. Elle n'a pas traversé .... le passage piéton.

242 Reliez les mots suivants à leur définition.

a. les circuits souterrains de l'eau
b. les habitants d'un quartier
c. l'aménagement des villes
d. les passants
e. autre nom pour les petits magasins
f. service qui s'occupe de l'état des rues
g. les problèmes de bruit
h. les abribus, les réverbères, les bancs, les poubelles, etc.

1. les nuisances sonores
2. les échoppes
3. les riverains
4. la voirie
5. les égouts
6. les badauds
7. l'urbanisme
8. le mobilier urbain

243 Complétez ce texte à l'aide des mots suivants : *tramway, quai, abribus, correspondance, lignes, arrêts, station, métro, bus.*

L'avantage à Paris, c'est les transports en commun ! Vous n'avez pas besoin de savoir conduire. Le **métro**, avec ses lignes souterraines, aériennes ou automatiques relie le nord au sud et l'ouest à l'est. Quand vous arrivez à une grande *(1)* .... en général, plusieurs *(2)* .... se croisent et vous pouvez donc prendre votre *(3)* .... L'attente sur le *(4)* .... n'est jamais trop longue surtout aux heures d'affluence. Si vous ne voulez pas prendre le métro, vous pouvez prendre le *(5)* .... Sous *(6)* l'.................. vous avez un plan du quartier et les différents *(7)* .... que le bus fera sur son parcours. Actuellement, la mairie de Paris tend à développer le *(8)* .... De nombreux travaux sont en cours.

244 L'expression du regret. Soulignez la partie de la phrase qui exprime le regret.

Exemple : Je regrette que les villes soient dessinées pour la circulation automobile.

a. Je trouve dommage qu'il n'y ait pas assez d'espaces verts.

b. J'aurais aimé que les urbanistes pensent davantage aux enfants.

c. Il est regrettable qu'il n'y ait pas davantage de pistes cyclables.

d. Il est désolé de devoir prendre les transports en commun tous les jours.

e. Quel dommage que les loyers soient trop chers en ville !

f. Nous regrettons de ne pas avoir pu acheter notre appartement dans ce quartier.

g. La municipalité aurait dû aménager cette place.

h. Les transports en commun sont trop chers. C'est dommage !

245 Transformez les souhaits ou les suggestions en regrets à l'aide du conditionnel passé.

Exemple : On devrait s'installer à la campagne. ***On aurait dû s'installer à la campagne.***

a. Il aimerait acheter un vélo. ....

b. Vous voudriez quitter la province ? ....

c. Tu irais te promener sur les quais. ....

d. Je te montrerais ma ville natale. ....

e. On pourrait visiter le quartier ! ....

f. Elles aimeraient bien habiter dans un grande ville. ....
....

g. Vous resteriez sur un banc à regarder les badauds. ....
....

h. Elle adorerait visiter la capitale. ....

246 *Monsieur Laumond a toujours vécu à la campagne. Maintenant, il est âgé et il imagine ce qu'aurait été sa vie s'il avait vécu dans une grande ville.* **Vous enverrez votre travail à votre professeur.**

Si j'étais né dans une grande ville, ...
....
....
....
....

B. LES RURAUX

247 Notez de 1 à 8 du lieu le plus grand au lieu le moins grand.

a. un village ( )

b. un bourg ( )

c. une bourgade ( )

d. une agglomération (**1**)

e. un hameau ( )

f. une commune ( )

g. un lieu-dit ( )

h. une localité ( )

248 Reliez ces mots péjoratifs à ce qu'ils signifient.

a. un plouc

b. la cambrousse

c. un bled

d. un péquenaud   1. la campagne

e. un trou   2. une personne de la campagne

f. un bouseux   3. un village

g. un patelin

h. un pedzouille

249 Retrouvez l'adjectif qui correspond au nom.

Exemple : la ruralité : le monde *rural*, la tradition *rurale*

a. la paysannerie : le monde ...., la culture ....

b. l'agriculture : un revenu ...., une exploitation ....

c. la rusticité: un mobilier ...., une table ....

d. la ferme : un poulet ...., une volaille ....

e. la campagne : un esprit ...., une mentalité ....

f. le village : un esprit ...., une fête ....

g. le potager : un jardin ...., une culture ....

h. la récolte : un champ ...., une céréale ....

250 Complétez les phrases suivantes à l'aide des mots proposés : *céréalière, oliveraie, ovins, horticulture, verger, pisciculture, horticulture, vignes, bovins, forestière.*

Exemple : Un lieu dans lequel on trouve des oliviers s'appelle une *oliveraie*.

a. M. Polin possède des .... qui produisent un délicieux vin de pays.

b. Mélanie possède un .... dans lequel on trouve des pêchers et des abricotiers.

c. Mes amis ont une forêt qu'ils exploitent, c'est une exploitation ....

d. Les moutons se nomment, dans le monde agricole, des ....

e. L'activité liée à l'élevage de poisson s'appelle la ....

f. L'art de cultiver des jardins potagers ou floraux s'appelle l'.................

g. Les bœufs se nomment, dans le monde agricole, des ....

h. La culture du blé, de l'avoine, l'orge, etc. s'appelle la culture ....

251 Reliez les mots suivants à leur définition.

a. l'art d'élever et de soigner les abeilles   1. l'aviculture

b. l'élevage d'animaux aquatiques   2. la viticulture

c. l'élevage des huîtres   3. l'horticulture

d. la culture de la vigne   4. l'arboriculture

e. la culture des plantes d'ornement, des jardins   5. l'ostréiculture

f. la culture du sol   6. l'aquaculture

g. l'élevage des oiseaux, des volailles   7. l'agriculture

h. la culture des arbres   8. l'apiculture

252 La restriction. Transformez les phrases suivantes à l'aide de *ne... que*.

Exemple : J'ai seulement deux champs. ***Je n'ai que deux champs.***

a. Ils ont uniquement des chevaux. ....

b. Vous mangez exclusivement des produits biologiques. ....

c. Elle tolère les gens de la région. C'est tout ! ....

d. Nous voulons vivre juste à la campagne. ....

e. Tu travailles exclusivement avec des agriculteurs. ....

f. On aime uniquement la montagne. ....

g. Les animaux sont heureux seulement ici. ....

h. Je m'occupe du bétail et de rien d'autre. ....

253 La restriction concernant une action. Transformez les phrases suivantes à l'aide de *ne... que*.

Exemple : On travaillera uniquement. ***On ne fera que travailler.***

a. Tu as parlé de toi, c'est tout ! ....

b. Nous attendions des nouvelles et rien d'autre. ....

c. Ils passent leur temps à s'inquiéter. ....

d. Je cultive mon champs. ....

e. Tu as seulement compté tes bêtes. ....

f. Il m'aidera juste. ....

g. Nous espérons que tu mangeras seulement là-bas. ....

h. Elle aura passé ses journées à traire les vaches. ....

254 Écoutez les phrases et transformez-les à l'aide de la restriction.

Exemple : ***Il ne fait que réfléchir !***

a. ....

b. ....

c. ....

d. ....

e. ....

f. ....

g. ....

h. ....

255 Orthographe. Retrouvez le pluriel des noms proposés : *-als* ou *-aux*.

Exemple : un rural : ***des ruraux***

a. un animal : ....

b. un festival : ....

c. un capital : ....

d. un carnaval : ....

e. un cheval : ....

f. un bal : ....

g. un canal : ....

h. un chacal : ....

256 Orthographe. Retrouvez le singulier des noms proposés.

Exemple : des bateaux : *un bateau*

a. des morceaux : ....

b. des locaux : ....

c. des journaux : ....

d. des bureaux : ....

e. des maux : ....

f. des tuyaux : ....

g. des seaux : ....

h. des généraux : ....

257 Reliez les définitions suivantes au nom correspondant.

a. eau qui sort de la terre

b. cours d'eau à forte pente, débit rapide et irrégulier

c. chute d'eau

d. petit cours d'eau

e. très petit cours d'eau

f. cours d'eau de moyenne importance

g. long cours d'eau avec de nombreux affluents et un important débit

h. petite étendue d'eau

1. cascade

2. ruisseau

3. torrent

4. source

5. rivière

6. ru

7. fleuve

8. étang

258 Complétez ce texte avec les mots proposés suivants : *source, ruisseau, cascade, rivières, fleuve, torrents, goutte, eau.*

Il pleuvait tellement à **torrents** que l'on n'y voyait *(1)* .... Ce fut pourtant ce soir-là que je la découvris, abandonnée sous un porche. Je la recueillis chez moi et lui offris un repas pantagruélique. Quand elle vit ces mets, cela lui mit immédiatement *(2)* l'............. à la bouche et elle dévora tout ce qui se présenta devant elle. À partir de ce jour-là, je l'élevai comme ma propre fille. Un jour, cela coula de *(3)* ...., elle voulut voler de ses propres ailes. J'avais espéré comme c'était moi qui l'avais sortie du *(4)* .... qu'elle deviendrait la femme de quelqu'un de bien et aurait des enfants, mais elle en décida autrement. Elle devint une très grande actrice. Chaque soir, elle sortait de scène sous une *(5)* .... d'applaudissements. Ses fans les plus fidèles lui offraient des fleurs, des *(6)* .... de diamants et beaucoup d'autres choses. Tout ce qu'elle entreprenait lui réussissait. Aucun de ses projets ne tomba à *(7)* l'.......... Sa vie donna naissance à un *(8)* roman-................. qui fut un grand succès.

259 Le jardin. De quels outils a-t-on besoin pour travailler dans un jardin ?

a. pour rassembler des feuilles mortes sur la pelouse

b. pour ramasser le tas de feuilles mortes

c. pour transporter les feuilles mortes jusqu'au fumier

d. pour creuser un trou dans la terre

e. pour tailler les rosiers

f. pour arroser les plantes

g. pour que la plante pousse droit

h. pour désherber une plate-bande

1. une pelle

2. un sécateur

3. un tuteur

4. un râteau

5. un arrosoir

6. une brouette

7. une binette

8. une bêche

260 Les bruits de la campagne. Reliez l'animal au verbe qui désigne son cri.

a. une brebis — 1. jacasse
b. une vache 2. bêle
c. un cheval 3. croasse
d. une poule 4. hennit
e. un corbeau 5. hulule
f. une pie 6. caquète
g. une grenouille 7. coasse
h. une chouette 8. meugle

261 Les bruits. Reliez la source de bruit possible au type de bruit.

a. des pneus 1. un hurlement
b. un moteur 2. un crépitement
c. un loup 3. un vrombissement
d. de l'eau 4. un crissement
e. des abeilles 5. un piétinement
f. des pieds 6. un clapotis
g. le feu 7. un bruissement
h. des feuilles 8. un bourdonnement

C. LES NÉO-RURAUX

262 Écoutez ce dialogue et notez si les affirmations suivantes sont vraies (V) ou fausses (F)

Exemple : Madame Gramant participe à l'émission « Mieux connaître la France ». (*F*)

a. L'installation des citadins en milieu rural est considérée par les élus locaux comme un phénomène de mode. ( )

b. Les néo-ruraux sont des Français de 15 ans et plus, habitant dans une commune rurale de moins de 2 000 habitants depuis moins de 5 ans et ayant eu, comme précédente résidence, un logement dans une commune de plus de 2 000 habitants et située à plus de 50 km de leur commune actuelle. ( )

c. La motivation principale des néo-ruraux à venir s'installer à la campagne est la recherche d'une meilleure qualité de vie. ( )

d. Les élus des communes rurales et leurs concitoyens insistent sur l'apport économique que les nouveaux habitants pourraient apporter aux communes rurales. ( )

e. D'après les maires, entre autres, les citadins risquent de « contaminer » la commune rurale avec des problèmes typiquement urbains comme l'incivilité, le stress... ( )

f. Les ruraux expriment, de plus en plus, une attitude ouverte vis-à-vis des nouveaux habitants à leur arrivée. ( )

g. Pour les néo-ruraux, la cause principale de l'échec dans leur installation en milieu rural réside dans le manque d'infrastructures (transports, écoles, commerces, logements. ( )

h. Les néo-ruraux arrivent toujours avec un projet solide. ( )

263 Exprimez l'opposition. Soulignez les expressions utilisées pour marquer l'opposition.

Exemple : Les maires des communes rurales veulent faire venir les citadins dans leur commune <u>alors que</u> leurs concitoyens ne sont pas très enthousiastes.

a. Les citadins désireux de partir vivre à la campagne feraient mieux d'y réfléchir longuement au lieu de foncer tête baissée vers un échec !

b. La contribution à la vie des services de proximité est mise en avant comme un des grands avantages de la venue des citadins en milieu rural tandis que l'apport économique est à peine évoqué.

c. Les néo-ruraux déjà installés avaient un projet clairement défini avant de partir contrairement à certains citadins qui n'ont pas encore franchi le pas.

d. Aucune action n'a été engagée par certains maires de communes rurales pour favoriser l'installation de nouveaux habitants « urbains ». Par contre, ils sont conscients qu'accueillir des néo-ruraux est indispensable pour l'avenir de leur commune.

e. Contrairement à ce que nous pensons, les ruraux sont de plus en plus favorables à la venue des citadins dans leur village.

f. Les citadins non encore partis sont très préoccupés par les possibilités de transports mis en place dans la commune. En revanche, les néo-ruraux installés sont plus sensibles aux infrastructures éducatives.

g. Pour les maires, c'est la volonté des nouveaux venus qui leur paraît la condition essentielle pour favoriser leur intégration à la population locale à l'inverse des néo-ruraux qui considèrent que c'est la bonne volonté des habitants de la commune qui favorise leur intégration.

h. Une intégration réussie au sein du village n'empêche pas les néo-ruraux de retourner dans leur ancienne ville. Au contraire, ils s'y rendent même pour faire des achats ou voir des amis.

264 Exprimez l'opposition. Complétez librement ces phrases comme dans l'exemple.

Exemple : Nous avons un superbe jardin où nous pouvons faire pousser n'importe quoi alors que ***dans notre ancien logement nous n'avions qu'un minuscule balcon.***

a. Depuis notre arrivée dans ce village, nous avons tissé des liens solides avec nos voisins tandis que ....

b. Toutes les fins de semaine, nous nous levons avec le chant du coq pour pouvoir en profiter au maximum au lieu de ....

c. Nous assistons à toutes les fêtes du village avec grand plaisir, par contre ....
....

d. Mon mari met un quart d'heure à vélo pour aller à son travail, en revanche, ...
....

e. Contrairement à ce que ....

f. Maintenant, je suis toujours de bonne humeur contrairement à ....
....

g. À la campagne nous prenons le temps de vivre à l'inverse (de) ....
....

h. Nous n'avons pas échoué. Au contraire, ...

265 Les animaux sauvages. Rayez l'animal qui n'est pas sauvage.

> *Exemple :* une chouette, un hibou, ~~un canari~~, une buse

a. un faon, un cerf, un daim, un agneau

b. un hérisson, une chauve-souris, un cochon d'Inde, une marmotte

c. un poisson rouge, un perche, un brochet, une truite

d. un lièvre, une hase, un lapin, une belette

e. un sanglier, un cochon, une laie, un marcassin

f. un bouquetin, une chèvre, une biche, une hermine

g. un chien, un loup, un ours, un renard

h. une couleuvre, une vipère, un lézard, une brebis

266 Complétez les phrases suivantes à l'aide des mots : *cerf, serre, serres, sers, sert ou serrent.*

> *Exemple :* La biche est la femelle du *cerf*.

a. Au fond du jardin, elle a installé une .... pour avoir des légumes en hiver.

b. Dans l'étable, les moutons se .... pour ne pas avoir froid.

c. À quoi ça .... de retourner la terre ?

d. Entrez, je vous .... un verre de lait !

e. La chasse au .... est interdite dans cette région.

f. L'aigle a attrapé sa proie entre ses ....

g. Il se .... du tracteur en ce moment.

h. Les enfants jouent au ....-volant dans les champs.

267 Complétez les phrases suivantes à l'aide des mots suivants : *bergerie, niche, clapier, étable, écurie, poulailler, porcherie, grange, ferme.*

> *Exemple :* La semaine dernière, nous sommes allés avec la classe visiter une *ferme*.

a. C'était formidable ! Nous avons commencé par l'............ où nous avons vu une jumen et ses poulains.

b. Ensuite, c'était l'heure de la traite. Nous avons donc continué en visitant l'............ où la fermière remplissait des seaux de lait de vache.

c. Après, nous avons traversé la cour en passant devant la .... du chien de berger e en faisant attention à ne pas marcher sur un poussin.

d. Nous sommes entrés dans la .... où les porcelets étaient en train de téter.

e. Nous avons été cueillir des pissenlits pour les donner aux lapins qui chahutaient dans leu ....

f. Puis, nous sommes allés chercher dans le .... des œufs frais que les poule venaient de pondre.

g. Nous avons assisté au déchargement des bottes de foin que le fermier a rangées dans la ....

h. Nous avons terminé la visite en passant par la .... où nous avons assisté à la tonte des brebis.

268 Complétez le texte suivant avec un des noms d'animaux proposés : *coq, chevaux, cochons, chèvre, agneau, poule, âne, chat, chien*.

Il faisait un vrai temps de **chien**. Mais je suis allé quand même à mon rendez-vous. Je devais rencontrer Pascal, un type que j'avais rencontré la veille et qui voulait me revendre sa voiture. Quand je suis arrivé dans le café, il n'y avait pas un **(1)** .... Je me suis installé. Pascal est arrivé et a tout de suite entamé la conversation. Ce n'était pas facile de le suivre, il n'arrêtait pas de passer du **(2)** .... à **(3)** l'......... sans jamais arriver au sujet qui m'inté-ressait directement. Il était en train de me rendre **(4)** .... À un moment, n'en pouvant plus, je suis monté sur mes grands **(5)** .... en lui expliquant que j'étais pressé et que sa vie ne m'intéressait nullement ! Il m'a répliqué que je n'avais aucune raison de lui parler sur ce ton, que nous n'avions jamais gardé les **(6)** .... ensemble et que si cela se passait ainsi, il préférait partir ! Sa sortie m'a calmé. Je suis redevenu doux comme un **(7)** .... mais il était trop tard. Je pense que je le reverrai quand les **(8)** .... auront des dents !

269 Les expressions familières. Reliez ces expressions à leur signification.

a. C'est chouette !
b. Oh, la vache !
c. C'est vachement bien !
d. Il pleut comme vache qui pisse.
e. Il marche à pas de loup.
f. Elle a un bec de lièvre.
g. C'est sa poule.
h. C'est un porc.

1. Il avance sans faire de bruit.
2. C'est sa copine.
3. Quelle surprise !
4. Il est sale.
5. Il pleut beaucoup.
6. C'est bien !
7. C'est très bien !
8. Elle a une malformation de la bouche.

270 Soulignez les expressions utilisées pour marquer la concession.

Chère Maman,

Malgré la distance, je voudrais rester en contact avec toi. Je sais que tu n'approuves pas notre installation en Ardèche, pourtant c'était vital pour nous. Bien que Patricia ait toujours aimé son travail, elle n'avait plus le courage de s'y rendre à cause des trop longs trajets. Pour ma part, même si mon agence immobilière marchait bien, je n'avais plus aucun plaisir à y travailler. Nous avions donc tous envie de changements ! Quand nous avons vu l'annonce de la vente de cette exploitation en Ardèche, nous avons rapidement pris notre décision. J'avais beau me dire que c'était de la folie, nous sommes devenus les heureux propriétaires de cette exploitation en un rien de temps.

L'exploitation nécessite beaucoup de réparations mais cela vaut quand même le coup. En dépit de notre investissement rapide dans les travaux de la ferme, Patricia et moi avons encore énormément à apprendre. Ne te fatigue pas à nous décourager, car quoi que tu dises, nous irons jusqu'au bout de cette aventure. Quand bien même tu me paierais pour que je revienne, nous resterions dans notre ferme avec notre élevage d'escargots et nos chambres d'hôtes.

Chère Maman, tu seras toujours la bienvenue chez nous.

Ton fils qui t'aime, Marc.

271 Complétez les phrases suivantes à l'aide de : *bien que, malgré, avoir beau, cependant, même si, en dépit de, quand bien même, quand même, quoi que.*

Exemple : **En dépit de** leurs compétences en gestion, ils n'ont pas su rétablir la situation financière de leur exploitation.

a. .... je ne suis pas d'un naturel très aimable, j'aime aller à la rencontre des nouveaux habitants de mon village.

b. .... elle fasse, elle n'arrivera jamais à faire pousser des légumes sur son petit lopin de terre.

c. .... il nous ait vendu sa ferme l'année dernière, il revient toutes les semaines se promener sur l'exploitation.

d. Il .... nous prévenir des difficultés, nous n'en avons fait qu'à notre tête.

e. .... les intempéries de ces derniers jours, nous avons pu rentrer notre production de blé.

f. Je sais que c'est important pour l'avenir de notre village mais j'éprouve .... des difficultés à acceuillir les néo-ruraux convenablement.

g. Ils avaient tout préparé pour leur installation dans le Périgord. ...., ils n'avaient pas pensé que leur dernier tomberait gravement malade.

h. .... on me prouverait que la campagne est le meilleur endroit pour élever ses enfants, je ne quitterais jamais ma ville natale.

272 Faites des phrases à partir des éléments proposés.

Exemple : grand âge / il / continuer à s'occuper de ses terres, seul / malgré
Malgré son grand âge, il continue à s'occuper de ses terres, seul !

a. nous / habiter près d'un étang / ne pas avoir d'humidité dans la cave / bien que
→ ....

b. Les enfants / jouer toujours dans l'écurie / être un endroit dangereux / pourtant
→ ....

c. Les voisins / ne pas être sympathique / nous aider beaucoup au moment des moissons
même si → ....

d. Il / faire appel à des spécialistes / faire faillite / avoir beau
→ ....

e. elle / faire pour retenir son mari / il / partir s'installer en province / quoi que
→ ....

f. on / lui en proposer un bon prix/ elle / ne pas vendre son étalon / quand bien même
→ ....

g. leurs difficultés / ils / réussir à développer leur activité céréalière / en dépit de
→ ....

h. falloir faire attention à notre budget / mais / je / investir / quand même
→ ....

273 Orthographe. Soulignez dans les phrases suivantes les différentes graphies des sons [ɛ] et [õe].

Exemple : Le mécanici**en** ne pourra pas réparer le tracteur dem**ain**.

a. Dans mon jardin, j'ai trouvé un essaim d'abeilles.

b. Je crains qu'il n'y ait plus de daim dans cette forêt.

c. Ma mère a peint ce massif de fleurs d'où se dégage un délicat parfum.

d. Le syndicat des agriculteurs a feint l'acceptation des nouvelles mesures.

e. Avant mes examens, je mange toujours un pain aux raisins.

f. Mon sympathique voisin va m'inviter ce soir.

g. C'est impossible d'avoir encore faim après ce festin.

h. Tu viens lundi à la Foire aux Vins ?

274 Orthographe. Écoutez et complétez les phrases suivantes en utilisant les graphies des sons [ɛ̃] et [õe] de l'exercice précédent.

Exemple : C'était le l**un**di mat**in** du jour de la S**ain**t-Valent**in**.

a. Comme je venais de rater mon tr........., je suis allé au Marché S.........t-Germ......... pour passer le temps.

b. Il y avait pl......... de monde : des Parisiennes enc.........tes, des Vendé.........s, des Alsaci.........s.

c. Le parf......... des épices comme le th......... ou le romar......... envahissait l'espace.

d. J'ai eu soud......... très f......... alors je me suis approché de l'étal des p.........s.

e. Une jeune femme était ....stallée derrière à côté de son chi......... et de son ch.........panzé.

f. Elle avait le t.........t hâlé, des cheveux br.........s et un cert......... charme.

g. Nous avons tout de suite s.........pathisés, ...si j'ai pu m'.........former de son nom. Elle s'appelait Amélie Poul.......... Nom ....prévisible et inoubliable !

h. Mon ag.........da m'.........diquait qu'après mon exam......... j'étais libre. Je l'.........citai donc à nous revoir le lendem......... !

275 *Quoi que* ou *quoique* ? Complétez les phrases suivantes.

Exemple : ***Quoi que*** tu dises, il ne t'écoutera pas.

Quoiqu*'ils aient acheté cette ferme pour une bouchée de pain, ils ont de gros soucis d'argent.

a. .... vous vouliez prendre, il vous le donnera.

b. .... il ait décidé, il nous fera de la peine.

c. .... tu ailles récolter tous les jours de bons légumes de ton potager, ton frigo est toujours vide.

d. .... nous buvions ce soir, c'est à ton tour de conduire.

e. Elle a réussi à s'intégrer dans ce tout petit village, ... elle ait eu une appréhension légitime au début.

f. .... je dévoile sur ma vie passée, vous me le répétez sans cesse.

g. .... l'entrevue avec le Maire ait été fructueuse, nous n'avons pas obtenu gain de cause pour notre différend avec notre voisin.

h. .... tu saches conduire un tracteur, je ne te prêterai pas ma voiture.

276 Complétez les phrases suivantes à l'aide de : *quoi que, qui que, où que, quel(s) que, quelle(s) que*.

Exemple : **Quoi que** vous fassiez, ce sera bien. **Où que** vous habitiez, je viendrai vous voir. **Qui que** tu invites, tu auras des cadeaux. **Quelle que** soit ta volonté, ce sera difficile.

a. .... tu sèmes ces graines, elles pousseront.

b. .... tu embauches pour t'aider à moissonner, tu devras le former.

c. .... soient les bénéfices, nous investirons dans une nouvelle moissonneuse-batteuse.

d. .... vous disiez, je vendrai mes parts de l'exploitation.

e. .... Paul aille, il récolte des problèmes.

f. .... soient vos compétences, nous avons décidé de nous séparer de vous.

g. .... soit ton courage, tu n'y arriveras pas !

h. .... nous prenions pour remplacer Claude, il devra avoir de bonnes références.

277 Le passé surcomposé. Complétez les phrases suivantes comme dans l'exemple.

Exemple : Dés qu'elle *a eu raccroché* (raccrocher), elle s'est sentie soulagée.

a. Aussitôt qu'il .... (finir) de dîner, il est parti aux champs.

b. Elle est vite descendue dès qu'on l'......................... (appeler).

c. Une fois que le vétérinaire nous .... (poser) toutes les questions qu'il devait, il a examiné le poulain.

d. Il a rentré son troupeau quand il .... (voir) le ciel s'assombrir.

e. Après qu'ils .... (boire) toutes les bouteilles, ils sont allés en chercher d'autres.

f. Lorsqu'il .... (sortir) de chez lui, il a couru vers l'écurie.

g. Quand ils .... (manger), ils ont fait la vaisselle.

h. Aussitôt qu'il .... (prendre) sa décision, il est devenu un autre homme.

278 Le passé surcomposé. Transformez ces phrases à l'aide du passé surcomposé.

Exemple : Aussitôt que les poules ont picoré leurs grains, la fermière est allée ramasser les œufs. **Aussitôt que les poules ont eu picoré leurs grains, la fermière est allée ramasser les œufs.**

a. Lorsque les agneaux ont été rentrés à la bergerie, le bruit de la pluie s'est fait entendre dans les arbres.

→ ....

b. Dès que la cloche de l'église du village a retenti, les villageois se sont dirigés vers l'auberge.

→ ....

c. Quand le fermier a fini de traire les vaches, il était l'heure d'aller récolter les haricots.

→ ....

d. Quand le renard a aperçu la basse-cour, il s'est dirigé vers son repas.

→ ....

e. Dès que le petit veau a bu tout son lait, la vache est allée paître dans les prés.

→ ....

f. Lorsque la cuisinière a allumé le feu, elle a commencé à préparer le dîner.

→ ....

g. Aussitôt que l'hirondelle a chanté, le printemps est arrivé.

→ ....

h. Quand le soleil s'est couché, les fenêtres des fermes se sont illuminées.

→ ....

Bilan

279 **Transformez les phrases suivantes en utilisant d'autres formules abordées dans ce chapitre.**

Exemple : Je regrette de ne pas avoir connu la vie rurale plus tôt.

J'aurais aimé connaître la vie rurale plus tôt.

a. Ce n'est pas important qui tu es, ce qui compte c'est ce que tu fais.

→ ....

b. J'aime seulement la vie citadine.

→ ....

c. Tu avais envie de partir mais tu n'as pas pu t'adapter.

→ ....

d. Ce que tu as fait avant n'a plus d'importance, tu dois trouver un nouvel équilibre dans cette ville.

→ ....

e. Quel dommage que je n'aie pas connu la vie dans une ferme !

→ ....

f. Je mange exclusivement des produits issus de l'agriculture biologique.

→ ....

g. Tu travailles beaucoup mais le revenu d'une ferme n'est pas suffisant.

→ ....

h. Partout où vous irez ce sera la même chose.

→ ....

VIII. LE TOURISME

A. LA FRANCE ET LE TOURISME

280 **Formalités. Complétez ce texte à l'aide de :** *délivrance, réglementaires, séjour, ressortissants, hébergement, consulaires, frontière, sollicité, moyens, visa.*

Tous les **ressortissants** étrangers qui souhaitent venir en France doivent être en mesure de présenter à la **(1)** .... les justificatifs **(2)** .... relatifs à l'objet du **(3)** ...., aux moyens d'existence et aux conditions **(4)** d'......................
Dans certains cas, un **(5)** .... est nécessaire. Il doit être **(6)** .... avant le départ auprès des services **(7)** .... français. La présentation d'un dossier complet n'entraîne pas nécessairement la **(8)** .... du visa.

281 **Formalités. Soulignez les pays faisant partie à la fois de l'Union Européenne et de l'Espace Schengen.**

> *Exemple :*   Allemagne – Bulgarie – Espagne

a. Grèce – Suisse – Ukraine

b. Royaume-Uni – France – Italie

c. Islande – Pays-Bas – Portugal

d. Autriche – Norvège – Belgique

e. Irlande – Suède – Hongrie

f. Roumanie – Danemark – Turquie

g. Finlande – Estonie – Biélorussie

h. Hongrie – Pologne – Luxembourg

282 **Le tourisme en France. Écoutez ce discours et cochez si les affirmations sont vraies (V) ou fausses (F)**

> *Exemple :*   La France est le deuxième pays visité au monde, après les États-Unis, avec la venue de 70 millions de touristes étrangers. (**F**)

a. Les étrangers les plus nombreux à venir en métropole sont les Coréens. ( )

b. La France était, au XIXᵉ siècle, une destination en vogue dans les milieux populaires. ( )

c. Si la France est souvent choisie comme destination, c'est avant tout parce qu'elle dispose d'une diversité tant géographique que culturelle. ( )

d. La capacité d'hébergement est exceptionnelle avec un nombre de lits dépassant les 20 millions. ( )

e. Grâce au tourisme, différents secteurs d'activité ont été stimulés comme le B.T.P.* ( )

f. Depuis les années soixante-dix, un tourisme dit « vert » s'est développé grâce à des changements de mentalité ainsi qu'une diversification de l'offre d'hébergement. ( )

g. Le tourisme montagnard et le tourisme vert se partagent 80 % des touristes étrangers. ( )

h. Les deux grandes destinations du tourisme de circuit sont l'Île-de-France et le Val de Loire. ( )

---

* B.T.P. = Le bâtiment et les travaux publics

283 Notez le type de tourisme auquel ces commentaires de vacanciers correspondent :
tourisme d'aventure, de santé, d'affaires, de luxe, vert, culturel, blanc, religieux.

a. En été, c'est vraiment agréable d'aller dans le midi. De nombreux festivals ont lieu un peu partout. De plus, cette région est riche en vestiges romains. ....

b. Non, non. Ce n'était pas trop ennuyeux ces 3 jours à Paris. Il y a eu des interventions vraiment très intéressantes. Le problème, c'est que nous n'avons pas eu assez de temps pour visiter la ville. ....

c. Après ma thalasso, qu'est-ce que je me sens bien ! ....

d. Ce qu'elle aime à Lourdes, c'est l'atmosphère de receuillement qui y règne. ....

e. Quel dépaysement ! Deux semaines de safari en pleine brousse. Beaucoup de poussière mais quel spectacle ! ....

f. C'est vraiment formidable ! Notre suite Royale, donne sur la mer ! ....

g. Il y avait une de ces queues au tire-fesses ! ....

h. Nous avons loué une petite embarcation. Ainsi, nous avons pu remonter la rivière et admirer des paysages magnifiques ! ....

284 Villes/Régions. Rayez l'intrus.

Exemple : Paris – Pontoise – ~~Lille~~ – Melun – Versailles – Créteil (Île-de-France/ ~~Nord-Pas-de-Calais~~)

a. Rouen – Deauville – Saint Lô – Dijon – Evreux – Caen (Normandie/Bourgogne)

b. Colmar – Rennes – Quimper – Brest – Saint-Brieuc – Vannes (Bretagne/Alsace)

c. La Roche-sur-Yon – Clermont-Ferrand – Nantes – Angers – Le Mans – Laval (Pays de la Loire/Auvergne)

d. Tarbes – Toulouse – Albi – Bordeaux – Montauban – Auch (Midi-Pyrénées/Aquitaine)

e. Avignon – Digne – Toulon – Gap – Amiens – Marseille (Provence-Alpes-Côte d'Azur/ Picardie)

f. Châteauroux – Montpellier – Blois – Orléans – Chartres – Tours (Centre/Languedoc-Roussillon)

g. Limoges – Saint-Étienne – Annecy – Lyon – Valence – Grenoble (Rhône-Alpes/Limousin)

h. Angoulême – La Rochelle – Niort – Poitiers – Île de Ré – Ajaccio (Poitou-Charentes/Corse)

285 Villes chargées d'histoire. Notez dans quelle ville les événements se sont déroulés :
Alésia, Versailles, Rouen, Poitiers, Nantes, Paris, Evian, Compiègne.

a. Jeanne d'Arc y a été brûlée. ....

b. En 732, Charles Martel y a écrasé les Sarrasins. ....

c. L'armistice de la Première Guerre mondiale a été signé dans la forêt de cette ville. ....

d. Le Roi Soleil y a habité. Le château qui se trouve dans cette ville est devenu sa résidence principale. Il en a modifié l'architecture et les jardins. ....

e. Henri IV y a créé un Édit qui assura la liberté de culte aux protestants à partir de 1598. ....

f. Des accords qui ont permis l'arrêt de la guerre d'Algérie y ont été signés. ....

g. Les Romains ont fait capituler Vercingétorix après avoir assiégé cette ville. ....

h. En 1804, Bonaparte s'y est fait sacrer empereur. ....

286 **Paris. Notez à quel musée ou monument les descriptions correspondent :** *Notre-Dame, Les Invalides, Le musée Rodin, Beaubourg, La Sainte-Chapelle, L'Arc de Triomphe, Le Louvre, Le musée d'Orsay.*

a. Sa construction a commencé au XIIIe siècle. Il a été la résidence de nombreuses têtes couronnées françaises. Il abrite un tableau représentant une femme au sourire énigmatique. ....

b. Dans l'enceinte du Palais de Justice se dresse le joyau du gothique français édifié dans la seconde moitié du XIIIe siècle par le roi Louis IX, célèbre pour ses vitraux qui forment de véritables murs de lumière. ....

c. Ce musée, situé non loin des Invalides, présente des sculptures du XIXe dans les salles et dans les jardins. ....

d. Cette cathédrale est située sur l'île de la Cité et a inspiré Victor Hugo pour un de ces romans. ....

e. Il est construit dans une ancienne gare et regroupe un grand nombre d'œuvres de la seconde moitié du XIXe siècle, surtout des impressionnistes. ....

f. Ce monument a été construit en l'honneur des armées napoléoniennes. À ses pieds, le soldat inconnu y est inhumé depuis 1920. ....

g. Ce lieu abrite un centre de documentation mais en particulier le musée d'art moderne. Il été construit à l'initiative d'un Président de la Ve République. ....

h. C'est le bâtiment où se trouve le tombeau d'un empereur français. ....

287 **Complétez ces phrases à l'aide de :** *territoires, départements, collectivités territoriales, tropicales, Wallis et Futuna, Nouvelle-Calédonie, Fournaise, cyclones, Guyane, Saint-Pierre-et-Miquelon, métropolitain, Terres australes, amazonienne, Montagne Pelée, Kourou, Guadeloupe, Ariane, Martinique, Soufrière, Polynésie française, Mayotte.*

> **Exemple :** Outre ses quatre-vingt seize départements **métropolitains**, la France compt quelques terres dispersées dans toutes les régions de la planète.

a. Ces « France lointaines » sont d'abord constituées de quatre .... d'Outre-mer e situées dans des régions ....

b. Trois d'entre eux, la .... et la .... dans les Antilles, et la .... dans l'océan Indien, sont des îles montagneuses.

c. Les volcans éteints, comme la .... à la Martinique, ou encore actifs comme la .... à la Réunion ou la .... à la Guadeloupe, accaparent une large partie du territoire.

d. Ces îles sont parfois soumises, à la fin de l'été, au passage de redoutables .... qui occasionnent de graves dégâts.

e. La ...., en Amérique du Sud, est un département d'Outre-mer, ponctué d collines presque totalement recouvertes par la dense forêt ....

f. Près de la côte, se dresse le site spatial de .... utilisé pour le lancement des fusées ....

g. La France compte aussi quatre .... d'Outre-mer. Parmi ces derniers, trois sont situés dans le Pacifique : la ...., qui est une longue île montagneuse ; la .... qui rassemble plus de 150 îles ou îlots volcaniques. .... sont également deux îles volcaniques, tout comme les ...., situées dans l'océan Antarctique.

h. S'ajoutent à cela les collectivités territoriales de ...., dans l'océan Indien et de .... dans l'océan Atlantique, au large du Canada.

(d'après diplomatie.gouv.fr)

B. PAYSAGES

288 Paysages. Reliez les mots suivants à leur définition.

1. vallée étroite et très encaissée au fond de laquelle coule un cours d'eau

a. volcan
b. grotte
c. dune
d. plage
e. marais
f. gorges
g. falaise
h. calanques

2. étendue plate de sable ou de galets au bord de la mer
3. colline de sable fin formée par le vent ou dans le désert
4. paroi rocheuse qui tombe verticalement dans la mer
5. terrain d'eau stagnante où poussent des roseaux
6. grande cavité naturelle, creusée dans un rocher ou au flanc d'une montagne
7. montagne d'où sortent (ou d'où peuvent sortir) des matières brûlantes fondues
8. lieu où la mer pénètre profondément dans les rochers, en Méditerranée

289 Curiosités touristiques. Complétez ces textes à l'aide des mots de l'exercice précédent et notez le nom complet de ces curiosités touristiques.

a. **Les** .... **d'Étretat :** Située en Pays de Caux, entre Le Havre et Fécamp, la station balnéaire d'Étretat est célèbre pour ses imposantes .... C'est une destination idéale pour un séjour vivifiant d'un ou deux jours en bord de mer.

b. **Les** .... **d'Auvergne :** Au cœur du massif central, les curieux peuvent se promener dans le Parc national des .... d'Auvergne où ils pourront admirer un ensemble de sommets de .... maintenant éteints.

c. **Le** .... **poitevin :** Plaisir de glisser doucement sur l'eau... Plaisir de s'enfoncer dans un écrin de verdure... Plaisir de n'écouter que le silence... Des plaisirs à partager à deux, en famille ou entre amis. La promenade en barque, la plus unique et originale des découvertes du .... poitevin.

d. **La** .... **de Lascaux :** Pour éviter de détériorer irrémédiablement la .... de Lascaux qui renferme une fabuleuse fresque préhistorique, les autorités responsables ont préféré créer une reproduction grandeur nature accessible au public.

e. **Les** .... **du Verdon :** Cet immense et magnifique canyon est situé à cheval sur les départements du Var et des Alpes de Haute-Provence. Les .... du Verdon résultent de l'érosion de la rivière du Verdon et se présentent aujourd'hui en de gigantesques falaises de roches calcaires.

f. **La** .... **du Pyla :** Non loin d'Arcachon se trouve l'un de nos plus grands sites nationaux : la .... du Pyla. Longue de 2,7 km, c'est la plus haute d'Europe avec ses 117 mètres d'altitude. Vivante, elle peut reculer de 3 à 10 mètres pendant l'hiver, selon la force des vents.

g. **Les** .... **de Cassis :** Les .... qui se trouvent entre Marseille et Cassis constituent un univers de criques spectaculaires dominées par d'imposantes falaises calcaires tombant à pic dans la mer bleu profond.

h. **Les** .... **du débarquement :** Ces .... ont été témoin du débarquement des alliés, le 6 juin 1944. De nombreux offices de tourisme de Normandie vous proposent de vous guider le long de la côte. Renseignez-vous.

290 **Complétez ces phrases à l'aide de :** *au creux d'une, en plein cœur de la, au sommet d'un, à l'écart des, à l'orée du, à l'ombre des, en bordure d', au milieu de, sur le flanc de la, au bord de la.*

> *Exemple :* Le village de vacances où nous allons partir cet été se trouve **au creux d'**une vallée non loin de Grenoble.

a. Nous avons dormi dans un refuge .... piton rocheux, c'était très impressionant !

b. J'espère que votre hôtel ne se trouve pas .... autoroute !

c. Ne vous inquiétez pas. Notre hôtel a été construit .... grands axes routiers pour éviter tous désagréments.

d. Vous trouverez le terrain de camping .... forêt, vous ne pourrez pas le rater.

e. En descendant de votre chambre d'hôtes, vous pourrez prendre votre déjeuner .... piscine et .... oliviers. Tout sera prêt !

f. L'auberge de jeunesse qui a été inaugurée la semaine dernière est située .... bois aux loups.

g. Nous avons aménagé la grange, qui avait été bâtie .... colline, en gîte rural.

h. L'hôtel-club où nous avons passé nos dernières vacances se trouvait .... nulle part.

291 Caractériser un lieu. Reliez un élément du relief ou de la nature à ce qui peut le caractériser.

a. mer   1. caillouteux, sinueux, étroit, tortueux, poussiéreux

b. plage   2. étale, d'huile, déchaînée, émeraude, démontée

c. chemin   3. domaniale, tropicale, luxuriante, vierge, amazonienne

d. forêt   4. bouillonnant, tumultueux, sinueux, asséché

e. vallée   5. déserte, de galets gris, paradisiaque, de sable fin, bondée

f. parois   6. naturel, national, d'exposition, fleuri, de stationnement

g. torrent   7. rocheuses, verticales, escarpées, abruptes, à pic

h. parc   8. encaissée, boisée, embrumée, enneigée, inondée

292 L'adjectif verbal. Transformez les phrases suivantes à l'aide d'un adjectif verbal.

Exemple : J'ai visité une église qui m'a beaucoup intéressé. ***J'ai visité une église intéressante.***

a. Nous avons fait une balade en forêt qui nous a éreintés. ....
....

b. Il a mangé une spécialité culinaire qui l'a dégoûté...
....

c. L'attitude du guide touristique nous révolte ! ....

d. Aujourd'hui, j'ai assisté à une scène qui m'a beaucoup émue. ....
....

e. Cette région les fascine. ....

f. La visite de la région nous a permis de découvrir des lieux qui nous ont étonnés. ....
....

g. Le Louvre est un musée qui me surprend toujours. ....
....

h. C'est une construction qui déroute..

293 Architecture. Complétez ce texte à l'aide de : *douves, donjon, remparts, oubliettes, meurtrières, pont-levis, herse, créneaux, chemin de ronde, châteaux-forts.*

Aujourd'hui, nous pouvons voir, au détour des routes françaises, de nombreuses ruines de **châteaux forts** qui se visitent. Nous pouvons donc imaginer comment les hommes du Moyen Âge y vivaient.

C'était des bâtiments très bien protégés, entourés de **(1)** .... et de **(2)** .... remplies d'eau pour décourager d'éventuels assaillants. En temps de paix, si on voulait y pénétrer, il fallait faire baisser le **(3)** .... et remonter la **(4)** .... On se retrouvait, à ce moment-là, dans une grande cour que dominait le **(5)** ...., la résidence du seigneur. Pour surveiller les alentours, des gardes se plaçaient sur le **(6)** .... qui faisait le tour de l'enceinte à l'intérieur. En cas d'attaque, les gardes se protégeaient en se mettant derrière les **(7)** .... ou tiraient à l'arc derrière les **(8)** ...., et quand ils faisaient des prisonniers, ils les jetaient au fond des **(9)** ....

294 Architecture. Complétez ces phrases à l'aide de : *vitraux, gargouilles, chapiteaux, autel, nef, bourdon, rosace, crypte, chaire.*

En visitant la France, vous ne pourrez manquer de visiter au moins une église, si ce n'est une cathédrale. Vous serez surpris par leur diversité architecturale, mais vous ne pourrez rester insensible au charme qu'elles dégagent.

Tout d'abord, vous regarderez la façade qui sera très travaillée. Le portail pourra être surmontée d'une **rosace** aux multiples couleurs et avoir de chaque côté des colonnes aux **(1)** .... sculptés. Si vous faites le tour de cet édifice, vous pourrez admirer ou être effrayé par les **(2)** .... qui sont sculptées en forme d'animal, de monstre ou de démon, et qui servent à écouler l'eau de pluie. En admirant l'extérieur, vous ne pourrez résister à l'envie de visiter l'intérieur. En entrant, vous serez subjugué par la hauteur de la **(3)** .... et par la lumière qui passera à travers les **(4)** .... Cette lumière éclairera peut-être la **(5)** .... finement travaillée, d'où l'ecclésiastique s'adresse aux fidèles ou bien l'ouverture menant à la **(6)** .... qui abritera, éventuellement, les ossements d'un saint. Si vous ne voulez pas vous aventurer dans celle-ci, vous pourrez toujours rester dans le chœur pour apprécier la facture des objets religieux placés sur **(7)** l'............... en écoutant le son grave du **(8)** .... La visite terminée, vous garderez en vous la splendeur de l'art gothique.

295 Organiser ses idées. Reliez ces connecteurs à l'idée qu'ils expriment.

a. qui plus est
b. en tout cas
c. bref
d. d'autre part
e. en d'autres termes
f. par ailleurs
g. c'est-à-dire
h. ainsi

1. introduire une conclusion
2. expliquer une idée
3. ajouter une idée

C. PLAISIRS DE VACANCES

296 Organiser ses idées. Complétez les phrases suivantes à l'aide du connecteur qui convient : *de plus, bref, en tout cas, par ailleurs, ainsi, en fin de compte, en plus, c'est-à-dire (que), en d'autres termes.*

Exemple : Je n'aime pas les croisères et **en plus** j'ai le mal de mer.

a. On s'est promenés, on a visité des églises, on a rencontré des gens sympas. ...., c'était super !

b. Votre réservation est arrivée trop tard. ...., suite à une innondation, nous avons plusieurs chambres en moins.

c. On a attendu, on a protesté, mais ...., on a eu ce qu'on voulait !

d. Vous ne pouvez pas rester là parce qu'il y a trop de monde. ...., c'est totalement interdit !

e. J'ai pris un coup de soleil, ... je suis restée trop longtemps au soleil et que ma peau a brûlé.

f. Elle a accepté notre proposition et nous avons accepté la sienne. ...., tout le monde était satisfait.

g. Paris est une ville inoubliable. ...., il faut absolument la visiter un jour.

h. Votre formule de séjour est très intéressante. Je vais y réfléchir encore un peu. ...., je vous appelle dès que j'ai pris une décision.

297 Activités. Se promener ou se reposer ? Reliez les verbes suivants à leur synonyme.

a. se délasser
b. baguenauder
c. musarder
d. lézarder   1. se promener
e. se balader   2. se reposer
f. flâner
g. souffler
h. se détendre

298 Gastronomie. Soulignez les mots ou expressions ayant un rapport avec « manger » ou « avoir faim ».

se nourrir – seriner – radoter – avoir l'estomac dans les talons – siroter – s'empiffrer – dévorer – avoir la dalle – grailler – imputer – piaffer – se bâfrer – dégoûter – râler – sombrer – ingurgiter – inhiber – broncher – pinailler – avoir du palais – déguster

299 Où manger ? Complétez ces phrases à l'aide de : *cantine, guinguettes, taverne, restaurant, troquet, brasseries, gargote, cafétéria, bouchons.*

     Exemple :   À Paris, vous pouvez trouver aussi bien un ***restaurant*** japonais qu'indien ou mexicain. C'est vraiment très pratique !

a. Vous trouverez beaucoup de .... au bord de la Marne où vous pourrez manger mais surtout danser au son de l'accordéon.

b. Parfois, quand il n'a pas le temps de déjeuner, il prend un sandwich sur le pouce dans un ....

c. Dans cette ...., c'était bon marché mais la nourriture était médiocre !

d. Quand j'étais petite, j'adorais manger à l'école, à la ....

e. Les restaurants typiques de Lyon s'appellent des .... L'origine de ce nom provient de l'enseigne qu'ils avaient et qui permettait aux voyageurs de savoir qu'ils pouvaient se restaurer pendant que l'on bouchonnait leur cheval.

f. Les .... sont de grands cafés-restaurants spécialisés en bière que l'on trouvait beaucoup en Alsace.

g. Dans une ...., on ne boit pas uniquement du café mais aussi des boissons non alcoolisées et on peut y manger des plats très simples.

h. J'aime manger dans une .... car le cadre y est, en général, très rustique.

300 Gastronomie. Reliez la spécialité à sa ville d'origine.

a. le brie
b. les bêtises
c. le cassoulet
d. la moutarde
e. les calissons
f. les grisettes
g. le nougat
h. les pruneaux

1. de Dijon
2. d'Aix
3. de Toulouse
4. de Meaux
5. de Montélimar
6. de Montpellier
7. d'Agen
8. de Cambrais

301 Gastronomie et régions françaises. Complétez les phrases suivantes à l'aide de *dans*, *de*, *sur* ou *en*.

Exemple :   Les quenelles sont un plat typique *de* la région lyonnaise.

a. La bouillabaisse est un plat qui se déguste .... la Côte d'Azur.

b. Le kir est une boisson originaire .... Bourgogne.

c. Les crêpes sont meilleures .... Bretagne.

d. Le Kougloff est un gâteau qui est préparé .... Alsace.

e. Le cidre est une boisson à base de pommes qui vient .... Normandic.

f. Le foie gras est un mets que l'on peut trouver notamment .... les Landes.

g. La fondue Savoyarde se mange principalement .... les Alpes.

h. Le champagne est fabriqué .... Champagne

D. ORGANISER UN SÉJOUR

302 Prépositions de temps. Complétez ce dialogue à l'aide de : *d'ores et déjà, vers, au début (de), dès, à partir (de), en fin (de), d'ici là, jusqu'à, sous.*

– Agence Bonvoyage, bonjour.

– Allô, bonjour mademoiselle. Je voudrais connaître les heures d'ouverture de votre agence.

– Nous sommes ouverts **à partir de** 10 heures.

– Et **(1)** .... quelle heure ?

– 18 heures 30. C'est pour faire une réservation ?

– Oui.

– Savez-vous que vous pouvez la faire par téléphone ?

– Ah non, comment ça se passe ?

– C'est simple, où voulez-vous aller ?

– À Nice.

– Et quand voulez-vous partir ?

– *(2)* .... mois prochain.

– Le 3 ça ira ?

– Oui, c'est parfait.

– À quelle heure ?

– *(3)* .... après-midi. *(4)* ...... 17 heures.

– 17 h 30 c'est bon ?

– Oui, très bien.

– Vous voulez le billet retour ?

– Non, je l'achèterai *(5)* .... mon arrivée.

– Attention, vous risquez de ne pas trouver de place.

– Ce n'est pas grave, *(6)* .... je verrai bien.

– Voilà, votre numéro de dossier est le 587654. Vous envoyez un chèque à notre agence et vous recevrez votre billet *(7)* .... 48 heures.

– C'est fantastique ! Je peux *(8)* .... préparer ma valise, alors !

– Absolument ! Merci de votre appel et bonne fin de journée !

303 L'hébergement. **Complétez les phrases suivantes à l'aide de :** *gîtes, refuges, chambre d'hôte, villages-vacances, cabine, camping, auberge de jeunesse, chalet, hôtel.*

> *Exemple :* Si vous souhaitez des vacances qui privilégient le confort, choisissez un **hôtel** 5 étoiles !

a. Si vous voulez être au contact de la population, la .... est une excellente solution.

b. Vous désirez voyager à moindre frais, préférez le .... ! Cependant, vous devez posséder une caravane ou une tente et quelques accessoires.

c. Vous avez un petit budget et vous voulez voyager léger : l'.......................... est la solution idéale !

d. Des vacances de rêve sur un bateau. C'est possible ! Les croisières sont faites pour vous et vous logerez dans une .... confortable.

e. Vous avez envie de faire de la randonnée en montagne. Les .... sont là pour vous accueillir et vous fournir le repos dont vous avez besoin pour continuer.

f. Vous désirez partir en famille avec des conditions de séjour idéales pour les enfants. Tout est prévu dans les ....

g. Vous souhaitez louer sans surprise ? Les .... sont faits pour vous. Ils garantissent un accueil professionnel et de qualité.

h. Les vacances à la montagne, les fondues, les feux de cheminée... Louez un .... !

304 Homophones. Complétez ces phrases à l'aide de mots se prononçant comme indiqué.

Exemple : [por]

Certaines personnes ne mangent pas de **porc**.

Adolescents ! Ce produit est pour vous : il nettoie en profondeur tous les **pores**
de votre peau !

Ne manquez sous aucun prétexte la visite des **ports** de la région.

a. [vɛ̃]

Elle a essayé de se faire comprendre par le chauffeur, en ....

Quand le .... est tiré, il faut le boire !

Deux fois dix font ....

b. [ʃɛr]

Pour Pâques, le curé est monté en .... pour prêcher.

J'ai trouvé un forfait « 6 jours tout compris » pour la République Dominicaine à 300 € sur
le site « Voyager pas ».......

Il a entendu quelqu'un chanter *a capella* dans une église. C'était tellement beau qu'il en a
eu la .... de poule !

c. [tɑ̃]

Le .... n'est vraiment pas agréable.

Il y a .... de choses à faire avant de partir en vacances.

En voyant voler le ...., vous savez qu'un bœuf n'est pas loin.

d. [kɑ̃]

– Que faites-vous pour les vacances ?

– Nous partons en .... à ....

– .... ?

– La semaine prochaine !

e. [mal]

Le .... de la brebis s'appelle le bouc.

Mes bagages sont trop lourds, ils me font .... au dos.

J'aurais dû prendre une .... !

f. [mɛr]

Il est devenu, sans vraiment le vouloir, ... de Paris.

Sa .... n'a jamais aimé le voir partir.

En écoutant le bruit de la ...., on se souvient de beaucoup de choses.

g. [par]

Elle se .... de ses plus beaux atours.

Je passerai .... Bordeaux pour aller à San Sebastian.

Au restaurant, au moment de l'addition, quand on est entre amis, chacun paie sa ....

h. [fwa]

La ville de .... est connue grâce à la marchande de la comptine.

Il est souvent de mauvaise .... !

Quand on va dans le Périgord, on peut déguster un très bon .... gras.

305 Exprimer une préférence. Soulignez ce qui exprime la préférence.

> *Exemple :* <u>Je préférerais</u> prendre le petit-déjeuner dans la chambre.

a. Nous aimerions mieux avoir une chambre donnant sur la mer.

b. Elle souhaiterait plutôt nous rejoindre après le spectacle que venir avec nous maintenant.

c. Nous choisissons plutôt un vin blanc.

d. Il a opté pour un hébergement en bungalow.

e. Elle avait une préférence pour la mer.

f. On a un faible pour les clubs de vacances.

g. Ils ont un penchant pour les cures thermales.

h. Nous souhaitons partir de préférence le 1er avril

306 À l'agence de voyage. Écoutez l'enregistrement puis répondez pour le client en exprimant ses préférences.

> *Exemple :* Nous ***avons un penchant pour la Corse***, nous n'y sommes jamais allés.

a. – Je suis sûr que ma femme ....

b. – Je ne sais pas, je crois que je ....

c. – Nous ....

d. – Dans ces conditions, nous ....

e. – Nous ...., des amis y sont allés l'année dernière et sont revenus enchantés de leur séjour.

f. – Personnellement, je ....

g. – Nous avons une ....

h. – Nous payons ....

307 Subjonctif passé. Complétez les phrases suivantes au subjonctif passé à l'aide des verbes entre parenthèses.

> *Exemple :* Nous sommes heureux que tu (aller) ***sois allé*** à Cuba.

a. Il a regretté que nous (partir) .... en décembre.

b. Quel dommage que nous (devoir) .... rentrer si tôt !

c. Il est regrettable que vous (ne pas se renseigner) .... davantage sur les conditions d'hébergement.

d. J'ai bien peur que vous (venir) .... pour rien.

e. Il se peut qu'ils (manquer) .... leur avion.

f. Il est possible que les touristes (être) .... surpris par l'orage.

g. Tu doutes qu'elle (prendre) .... le matériel de camping.

h. Il est impossible qu'elles (pouvoir) .... croire que le train était à 10 heures.

E. RACONTER SON SÉJOUR

308 Subjonctif passé. Transformez les phrases suivantes à l'aide des expressions proposées : *bien que, à moins que, quelles que, jusqu'à ce que, avant que, à condition que, qui que, sans que, pourvu que.*

> *Exemple :* Nous n'avons pas pu tout voir. Pourtant, nous avons pris le temps de visiter la région. ***Nous n'avons pas pu tout voir bien que nous ayons pris le temps de visiter la région.***

a. Nous ne regrettons pas notre voyage malgré les conditions de transport.

→ ....

b. Nous ne bougerons pas d'ici tant que vous n'aurez pas trouvé de chambre libre !

→ ....

c. Elle a plongé dans la piscine et nous n'avons pas eu le temps de nous en rendre compte.

→ ....

d. J'espère qu'il a eu le temps de profiter du soleil !

→ ....

e. Toute personne rencontrée dans les couloirs de cet hôtel ne fait pas partie de notre personnel.

→ ....

f. Je vous ferai un prix pour la location mais vous devez partir avant le 18 de ce mois.

→ ....

g. Ils ont annulé le vol et nous n'en avons pas été informés.

→ ....

h. Nous allons retrouver votre dossier de réservation sauf si vous nous avez donné des informations erronées.

→ ....

309 Soulignez ce qui exprime que la situation a été évitée de justesse.

> *Exemple :* ***Ils ont failli*** rater leur train.

a. Ils ont presque raté leur train.

b. Il était moins une qu'ils ratent leur train.

c. Ils ont eu leur train de justesse.

d. Il s'en est fallu de peu qu'ils ratent leur train.

e. Un peu plus et ils rataient leur train.

f. Ils ont manqué rater leur train.

g. À une minute près, ils rataient leur train.

h. Encore un peu et ils rataient leur train.

310 Terminez librement les phrases suivantes à l'aide des expressions vues dans l'exercice précédent.

> *Exemple :* Ils ont visité la Tour Eiffel mais ***ils ont failli ne pas pouvoir la visiter.***

a. Vous êtes sains et saufs mais ....

b. J'ai fini par pouvoir rentrer mais ....

c. Ils ont remplacé leur billet ....

d. Nous avons pu louer une voiture mais ....

e. Elles ont trouvé une chambre d'hôtel mais ....

f. Tu as retrouvé ta valise mais tu as ....

g. J'ai rencontré des gens formidables en vacances mais ....

h. On a eu notre avion mais ....

311 **Préposition de temps. Complétez à l'aide de :** *le plus tôt possible, d'ici, du... au..., aux alentours de, le, à la date prévue, désormais, dès, dans un délai de.*

> **Exemple :** Les travaux d'agrandissement du terminal F de Roissy seront terminés **dans un délai** de deux mois.

a. ...., vous trouverez notre agence 25 rue des abeilles, près de l'église.

b. Malgré le temps, notre bateau partira ....

c. Confirmez votre réservation ...., sinon vous subirez les effets de la hausse des prix sur les vols en direction de l'Asie.

d. Si vous ne recevez rien de notre part .... jeudi, envoyez-nous un courriel.

e. .... demain, vous pourrez réserver votre séjour.

f. Nous pourrions nous retrouver .... 7 h devant la gare du Nord ?

g. Mon frère arrivera .... 18 juin de Londres.

h. Elle est restée .... mois de janvier .... mois de mai en villégiature à Carnac.

312 **Expression de la durée. Soulignez dans ces phrases ce qui permet d'exprimer la durée.**

> **Exemple :** <u>Cela fera</u> sept ans <u>qu'</u>ils ont fait leur voyage de noces au Brésil.

a. Elle est revenue de son voyage autour du monde il y a une semaine.

b. Je n'ai pas pu avoir mes enfants au téléphone depuis leur départ.

c. Voilà longtemps que nous n'avons pas voyagé à l'étranger.

d. Il y avait quatre ans qu'elle n'avait pas eu de ses nouvelles quand il lui téléphona.

e. Ma mère ne rentrera de sa croisière que dans trois semaines.

f. Pour voir les effets de la cure, il faut rester dans le centre de thalassotérapie pendant quatre mois.

g. Je veux partir en vacances en Afrique depuis cinq mois.

h. Pour ne pas rater sa correspondance, il a couru et a atteint la station de métro en 4 minutes.

313 **Expression de la durée. Complétez à l'aide de** *pour, en, pendant, dans*.

> **Exemple :** Il a fait Paris-Amsterdam **en** trois heures, grâce au Thalys.

a. Alors, tu vas rater ton train ! Tu te rends compte que tu ne seras jamais prête .... si peu de temps ?

b. Regarde avec ton chef si tu peux prendre juillet. Je poserai mes vacances .... une semaine.

c. Vous resterez au Caire .... 6 jours, puis vous descendrez le Nil.

d. Il y avait trop de roulis dans les cabines. Nous n'avons pas pu dormir .... quatre nuits.

e. Ils viennent en France .... deux mois.

f. Ne t'inquiète pas ! Elle revient .... trois jours.

g. Tes parents ne viendront jamais .... une semaine, ce sera trop court !

h. Il a monté les cinq étages .... deux minutes trente-cinq !

314 **Les connecteurs temporels. Soulignez les connecteurs temporels contenus dans la lettre suivante.**

Chère Laurence,

Nous rentrons des sports d'hiver ! C'était super !

À notre arrivée, on a eu quelques problèmes pour accéder à la station à cause de la neige mais après on a trouvé rapidement notre chalet qui était superbe ! On s'est installés et ensuite on a chaussé les skis et hop, sur les pistes ! Le soir, on est allés au restaurant et on a mangé une délicieuse fondue. L'ambiance était très chaleureuse. Le lendemain, j'ai inscrit les enfants à un cours de ski et puis Francis et moi sommes allés en randonnée avec un guide. D'abord on a eu un peu de mal à le suivre mais pour finir on s'en est bien sortis. Le dernier jour, les enfants ont obtenu leur premier flocon*. Ils étaient ravis !

On attend les prochaines vacances avec impatience !

De gros bisous à toi.

Mathilde.

315 **Raconter son séjour. Racontez, par écrit, vos dernières vacances en vous aidant des verbes proposés :** *aller, faire, visiter, loger, déguster, découvrir, regretter, vouloir, revenir.*

....

....

....

....

....

....

....

....

....

---

* Un flocon est une récompense donnée aux enfants et qui valide leurs progrès à ski.

316 Séjour. Vous trouverez ci-dessous le programme de votre dernier week-end de ski. Celui-ci s'étant très mal passé, vous écrivez une lettre à un(e) de vos ami(e)s pour lui raconter votre week-end catastrophique !

Week-end à Morzine/Avoriaz du 6 au 9 février
Voyage en car-couchettes + 1 nuit hôtel ** + 1petit-déjeuner + 1dîner = 135 €
Côté France ou côté Suisse vous découvrirez les 650 kms de pistes entre Leman et Mont-Blanc à partir de Morzine station village qui préserve ses traditions et Avoriaz, station sans voiture où chaque rue est une piste.
Vendredi : Rendez-vous à 22 h 15. Départ 22 h 30
Samedi : Arrivée à Morzine. Journée libre pour le ski sur place ou à Avoriaz (navettes de 10 min gratuites depuis Morzine jusqu'au téléphérique) 12 stations en France et en Suisse.
Autres activités : Raquettes, parapente, scooter des neiges, ski de fond et sentiers piétons, promenades en traineaux.
Départ à 18 h 00 de Morzine pour rejoindre l'hôtel situé à 20 min dans un très joli village typique. Installation à l'hôtel. Dîner.
Dimanche : Après le petit-déjeuner départ pour Morzine. Journée libre. Départ pour Paris à 21 h 00.
Lundi : Arrivée à 6 h 00.
Tarif remontées : environ 20 € / jour
Matériel skis + chaussures : env 25 € / 2 jours.

Chère Isabelle,

Te rappelles-tu que je devais partir au ski le week-end dernier ? Je t'y avais invitée mais tu avais décliné l'invitation. J'y suis donc allé(e) seule mais je m'en mord les doigts ! Je te raconte :

Nous devions partir à 22 h 15 de Paris, ...
....
....
....
....
....
....
....
....
....
....
....
....

317 Cause. Soulignez les expressions qui introduisent la cause dans ces phrases.

Exemple : Elles n'ont pas eu à payer les petits-déjeuners <u>car</u> le réceptionniste avait fait une erreur au début de leur séjour.

a. Sous prétexte que nous étions avec notre bébé, le directeur de l'hôtel nous a conduits, pour notre confort, dans une toute petite chambre située à l'autre bout de l'hôtel.

b. En raison des embouteillages sur l'autoroute, elles n'ont pas pu arriver à l'heure pour prendre les clés de leur location.

c. Il ne pouvait pas bien dormir à cause du bruit que faisait le réfrigérateur de la chambre voisine.

d. Ils ont fini par avoir de l'eau chaude dans leur douche à force de déranger le réceptionniste.

e. Comme leur chambre n'était pas prête, ils ont dormi dans la suite nuptiale au « frais de la Princesse ».

f. Cette année, elle a réussi à partir en vacances grâce au prix intéressant que lui faisait son Comité d'Entreprise.

g. Puisque le restaurant de l'hôtel est fermé, nous irons dîner en ville.

h. Faute d'information claire, elles n'ont pas pu faire l'excursion au Mont-Blanc.

318 Cause. Complétez ces phrases avec les expressions introduisant la cause de l'exercice précédent.

Exemple : **En raison de** sa passion pour la salsa, elle passe toutes ses vacances à Cuba.

a. .... tu n'as jamais aimé la mer, nous irons en vacances dans les Alpes.

b. Il est resté une semaine supplémentaire en Espagne, ... il n'y avait plus de place dans l'avion,

c. Le départ de la croisière a été reporté .... mauvaises prévisions météorologiques.

d. .... argent, ils ont dû rentrer plus tôt que prévu de leur voyage autour du monde.

e. .... imaginer le pire, elles ont eu un terrible accident de voiture sur le chemin du retour.

f. Il a pu réaliser le voyage de ses rêves .... il avait réussi à amasser beaucoup d'argent en travaillant.

g. Ils ont retrouvé leur chemin .... habitants de ce petit village de montagne.

h. .... tous leurs amis avaient participé à l'achat du billet d'avion pour l'Ile de Pâque ils ont pu partir en voyage de noces.

319 Cause. Transformez les phrases suivantes comme dans l'exemple.

Exemple : Comme mes amis étaient déjà partis, je suis rentrée seule à l'hôtel.
Mes amis étant déjà partis, je suis rentrée seule à l'hôtel.

a. Étant donné qu'il a beaucoup voyagé, il connaît énormément de musiques traditionnelles

→ ....

b. Comme sa peau est très blanche, elle a pris un énorme coup de soleil.

→ ....

c. Étant donné qu'il ne me restait plus de jours de congé, j'ai pris un congé sans solde.

→ ....

d. Comme ils ont agrandi la salle du restaurant, ils peuvent accueillir des clients qui ne résident pas à l'hôtel.

→ ....

e. Étant donné que mes parents sont allés hier à l'Île de Ré, nous irons ailleurs aujourd'hui.

→ ....

f. Comme mon mari dormait profondément, je ne l'ai pas réveillé.

→ ....

g. Étant donné que l'agence de voyage ne nous a pas recontactés, nous ne nous partirons pas !

→ ....

h. Comme il ne savait pas nager, il s'est noyé lors du naufrage de son voilier.

→ ....

320 Cause. Faites des phrases à partir des éléments suivants en utilisant une expression introduisant une cause.

Exemple : Il/célibataire/préférer partir en hôtel-club pour faire des rencontres.

Comme il est célibataire, il préfère partir en hôtel-club pour faire des rencontres.

Étant donné qu'il est célibataire, il a préféré partir en hôtel-club pour faire des rencontres.

Étant célibataire, il préfère partir en hôtel-club pour faire des rencontres.

a. l'avion / avoir ennui matériel /nous / arriver avec 3 heures de retard

→ ....

b. elle / informations insuffisantes sur la région / rester bloquée dans une grotte pendant 2 jours

→ ....

c. je / rater l'avion / grève du métro

→ ....

d. nous / ne pas connaître le chinois / difficultés à se faire comprendre

→ ....

e. ils / manger n'importe quoi / être malades

→ ....

f. il / perdre ses billets de train / obligation de racheter des billets

→ ....

g. mes enfants / temps magnifique / possibilité de se baigner tous les jours

→ ....

h. nous / annulation de notre voyage / perdre les arrhes

→ ....

Bilan

321 Écoutez les résumés concernant des régions françaises. Choisissez-en une et expliquez pourquoi. Vous montrerez votre travail à votre professeur.

....
....
....
....
....
....
....
....
....
....
....
....
....
....
....
....
....
....
....
....
....

Source : http://www.cyberevasion.fr/

IX. LA SOCIÉTÉ FRANÇAISE

A. LA POPULATION

322 La population française. Retrouvez dans le texte suivant les synonymes qui vous permettront de remplacer les mots soulignés dans les phrases proposées.

La population de la France métropolitaine s'élève à 60,7 millions d'habitants au 1er janvier 2002, ce qui la place au vingt-et-unième rang mondial et au troisième rang de l'Union européenne. En ajoutant les effectifs des DOM-TOM, qui représentent 1,7 million d'habitants, la population française est de 62,4 millions de personnes.

La moitié des Français vit sur un peu plus de 10% du territoire : la première des aires urbaines est celle de Paris, avec 9,8 millions d'habitants, soit environ 20% des citadins du pays.

La direction de la Population et des Migrations (du ministère de l'Emploi et de la Solidarité) estime d'ailleurs que, de 1990 à 2020, la population de l'Ile-de-France devrait s'accroître de 16%, atteignant ainsi 12 millions d'habitants. Cette croissance à venir sera encore plus marquée en Languedoc-Roussillon (+ 37%) et en Provence-Alpes-Côte d'Azur (+ 30%), régions déjà les plus dynamiques du pays au cours des deux dernières décennies, ainsi qu'en Rhône-Alpes, dans la région Centre et en Aquitaine. Les régions précocement urbanisées et industrialisées comme le Nord-Pas-de-Calais, la Lorraine, Champagne-Ardenne et les régions essentiellement rurales comme le Limousin et l'Auvergne, en revanche, devraient enregistrer une stagnation voire une diminution de leur nombre d'habitants. La tendance à la redistribution de la population sur le territoire national, amorcée depuis près d'un quart de siècle, se confirme ainsi dans ses grandes lignes.

La France fut l'un des premiers pays du monde à connaître une baisse significative de la mortalité, au XVIIIe siècle, et à entrer dans une phase de croissance forte de sa population. Mais cet essor ne dura pas et, du début du XIXe siècle à la seconde guerre mondiale, l'accroissement fut modeste en raison d'une baisse précoce de la fécondité : 30 millions d'habitants en 1800, 41 millions en 1940.

À l'inverse, la croissance démographique de l'après-guerre a été plus importante en France qu'ailleurs : les effectifs ont augmenté de 18 millions en cinquante ans, soit une croissance totale de 44%. La reprise durable de la fécondité pendant le baby boom (elle oscille entre 2,9 et 2,3 enfants par femme entre 1946 et 1973), la baisse continue de la mortalité, et de la mortalité infantile en particulier (le taux de mortalité infantile était de 52 pour 1 000 en 1950, contre 0,37 % en 2001), ainsi qu'une forte immigration qui a représenté le quart de la croissance en moyenne, expliquent cet important rattrapage qui a mis la France au niveau démographique de ses grands voisins européens. Actuellement, la démographie de la France se porte un peu mieux que celle des autres États d'Europe ; avec une croissance naturelle de 4,2 % en 2001 (natalité : 13,1 pour 1000, mortalité : 8,9 pour 1000).

En effet, la démographie française bénéficie encore des effets positifs de sa croissance passée : les femmes en âge de procréer sont nombreuses car nées dans des périodes où la natalité était encore forte (l'âge moyen de la maternité est de 29 ans) et la mortalité se maintient en dessous de 10 pour 1000, en raison d'une structure de population relativement jeune. Il n'en sera pas de même lorsque les générations moins nombreuses de ces vingt dernières années arriveront en âge de procréation : le nombre de naissances, de l'ordre de 775 000 par an actuellement, pourrait alors se réduire de 200 000 si la fécondité se maintient au niveau actuel de 1,75 enfant par femme. Dans le même temps, le nombre de décès ne reculera pas et pourrait même augmenter en raison du vieillissement de la population. La longévité s'accroît en effet, avec une espérance de vie de 74,9 ans pour les hommes et de 82,3 ans pour les femmes, ce qui, combiné à une faible fécondité, entraîne un vieillissement inéluctable de la population. Compte tenu de ces facteurs et en l'absence d'une immigration capable de compenser les déficits, la population de la France pourrait diminuer dans un quart de siècle environ.

(Source : Ministère de Affaires Étrangères)

Exemple :   La population française compte, au total, 62,4 millions de personnes.

La population française **s'élève**, au total, à 62,4 millions d'**habitants**.

a. Le nombre d'habitants est variable d'une région à l'autre.

→ Les .... sont variables d'une région à l'autre.

b. 50 % des français se concentre sur 10 % du territoire.

→ .... se concentre sur 10 % du territoire.

c. La population en Île-de-France devrait augmenter de 16 % pendant les trente prochaines années. → .... en Île-de-France devrait .... de 16 % ....

d. Les femmes en âge d'avoir des enfants sont nombreuses.

→ Les femmes en âge de .... sont nombreuses.

e. Pourtant, le nombre des naissances pourrait diminuer si la fécondité stagne au niveau actuel. → Pourtant le .... pourrait .... si la fécondité .... au niveau actuel.

f. Dans le même temps, le nombre de décès diminue et l'espérance de vie s'allonge.

→ Dans le même temps, le .... est en baisse et la .... s'accroît.

g. L'essor de la population est en danger. → La .... est en danger

h. Compte tenu de ces éléments, seule l'immigration pourrait rééquilibrer l'insuffisance demographique de la france. → Compte tenu de ces ...., seule l'immigration pourrai .... l'insuffisance demographique de la france.

323   **Transformez les pourcentages à l'aide des mots proposés :** *tous, tiers, quart, moitié aucun, totalité, chaque.*

Exemple :   100 % des Français : *la totalité des Français.*

a. 100 % des Français : .... les Français

b. 100 % des Français : ....

c. 66 % des personnes âgées : les ....

d. 50 % des habitants : la ....

e. 45 % des femmes : trois-.................

f. 33 % des hommes : un ....

g. 25 % de la population : un ....

h. 0 % des handicapés : ....

324 Retrouvez les opposés.

a. une forte proportion   1. personne
b. un grand nombre   2. peu de
c. la majorité   3. une minorité
d. la plupart   4. d'autres
e. certains   5. une infime proportion
f. de nombreux   6. quelques
g. tous   7. un petit nombre
h. tout le monde   8. aucun

325 Écoutez les phrases puis cochez le mot que vous entendez.

Exemple :   **1.** ☐ tout   **2.** ☒ tous   **3.** ☐ toute   **4.** ☐ toutes.

a. **1.** ☐ tout   **2.** ☐ tous   **3.** ☐ toute   **4.** ☐ toutes
b. **1.** ☐ tout   **2.** ☐ tous   **3.** ☐ toute   **4.** ☐ toutes
c. **1.** ☐ tout   **2.** ☐ tous   **3.** ☐ toute   **4.** ☐ toutes
d. **1.** ☐ tout   **2.** ☐ tous   **3.** ☐ toute   **4.** ☐ toutes
e. **1.** ☐ tout   **2.** ☐ tous   **3.** ☐ toute   **4.** ☐ toutes
f. **1.** ☐ tout   **2.** ☐ tous   **3.** ☐ toute   **4.** ☐ toutes
g. **1.** ☐ tout   **2.** ☐ tous   **3.** ☐ toute   **4.** ☐ toutes
h. **1.** ☐ tout   **2.** ☐ tous   **3.** ☐ toute   **4.** ☐ toutes

326 Les minorités. Retrouvez ce que ces atténuations signifient en vous aidant des mots proposés : *autiste, clochard(e), fou/folle, gros(se), aveugle, handicapé(e) moteur, noir(e), vieil homme/vieille femme, sourd(e).*

Exemple :   Une personne à mobilité réduite : un(e) **handicapé(e) moteur**

a. Une personne forte : un(e) ....
b. Un(e) non-voyant(e) : un(e) ....
c. Un(e) malade mental : un(e) ....
d. Une personne de couleur : un(e) ....
e. Un(e) Sans Domicile Fixe : un(e) ....
f. Une personne âgée : un .... / une ....
g. Un(e) malentendant : un(e) ....
h. Une personne atteinte d'un trouble envahissant du développement : un(e) ....

B. Le monde du travail

327 Le monde du travail : les catégories socio-professionnelles. Prenez connaissance des données puis notez la catégorie concernée par ces professions.

La France compte environ 26 millions d'actifs (près de la moitié de la population totale). Au sein de cette catégorie, on dénombre 19,5 millions de salariés et 2,4 millions de demandeurs d'emploi, soit 10 % de la population active (janvier 2000). Le taux d'activité s'élève à 62 % pour les hommes et 48 % pour les femmes.

Catégories socio-professionnelles (mars 1999) :

Agriculteurs-exploitants :	682 000,	2,6% de la population active
Artisans, commerçants, chefs d'entreprise :	1 595 000,	6,1% de la population active
Cadres et professions intellectuelles :	3 008 000,	11,9 % de la population active
Professions intermédiaires :	4 759 000,	18,3 % de la population active
Employés :	6 512 000,	25 % de la population active
Ouvriers :	5 972 000,	23 % de ia population active
Chômeurs n'ayant jamais travaillé :	350 000,	1,3 % de la population active
Appelés au service national :	232 000,	1% de la population active

Exemple : un infirmier : ***professions intermédiaires***

a. un éleveur de moutons : ....

b. un manutentionnaire : ....

c. un directeur de communication : ....

d. un secrétaire : ....

e. un professeur des écoles: ....

f. un marchand de journaux : ....

g. un boulanger : ....

h. un journaliste : ....

328 Reliez le type de rémunérations à celui qui la reçoit.

a. un cachet   1. les professions libérales

b. des commissions   2. les commerciaux

c. un salaire   3. les fonctionnaires

d. une solde   4. les serveurs, ouvreurs

e. des honoraires   5. les comédiens

f. un traitement   6. les militaires

g. des pourboires   7. les retraités

h. une pension   8. les employés

329 Reliez ces différentes taxes avec leur finalité.

a. CSG (cotisation sociale généralisée)   1. sur les salaires

b. taxe d'habitation   2. pour les logements

c. taxe foncière   3. sur tous les produits de consommation

d. redevance   4. en cas de perte d'emploi

e. impôt sur le revenu   5. charges sociales

f. T.V.A. (taxe sur la valeur ajoutée)   6. pour la télévision et la radio publiques

g. assurance chômage   7. pour les retraites

h. assurance vieillesse   8. pour les propriétaires de biens immobiliers

330 Conflits sociaux. Complétez les phrases suivantes à l'aide des mots proposés : *assemblées générales, droits, négociations, reprise, revendications, grève, listes, représentants, saisir.*

    Exemple : Les syndicats défendent les **droits** des salariés.

a. Les syndicats désignent des .... dans chaque entreprise que l'on nomme des délégués syndicaux.

b. Les délégués du personnel se présentent sur des .... et sont élus par les salariés.

c. En cas de conflits au sein de leur entreprise, les salariés ou les dirigeants peuvent .... le Conseil des Prud'hommes.

d. Lorsque les salariés ont des ...., ils s'adressent à leurs délégués du personnel.

e. La direction et les syndicats procèdent à des ....

f. En cas de désaccord, les syndicats peuvent appeler les salariés à faire .... Ils doivent déposer un préavis pour que celle-ci soit licite.

g. Au cours de la grève des .... sont organisées pour informer et pour voter sa reconduction

h. Lorsqu'un accord est finalement trouvé, les salariés vote la .... du travail.

331 *La France compte environ deux millions de personnes affiliées à des syndicats, soit 8 % de la population active. C'est le taux le plus faible des pays de l'Union européenne.* **Reliez ces sigles aux noms de syndicats correspondants.**

a. CGT   1. Force Ouvrière

b. MEDEF   2. Confédération Française des Travailleurs Chrétiens

c. FO   3. Confédération Générale des Cadres

d. CFDT   4. Solidaires, Démocratiques, Unitaires

e. SUD   5. Confédération Générale du Travail

f. FSU   6. Confédération Française Démocratique du Travail

g. CFTC   7. Mouvement des Entreprises de France (« syndicat des patrons »)

h. CGC   8. Fédération Syndicale Unitaire

332 Les conseils de prud'hommes. Complétez le texte (ministère de la Justice, juillet 2002) : *affaire, litiges, adversaires, apprentis, conseillers, partage, tribunal, concilier, sections.*

Institués en 1806, les conseils de prud'hommes ont été généralisés en 1979. Il en existe aujourd'hui 271.

Conflits liés aux congés payés, salaires, primes, licenciement individuel, non-respect d'une clause de non-concurrence...

Le conseil de prud'hommes règle les **litiges** individuels qui surviennent entre salariés ou **(1)** .... et employeurs, à l'occasion du contrat de travail ou d'apprentissage... (à l'exception des litiges collectifs, comme l'exercice du droit de grève).

Lorsqu'il est saisi d'une affaire, le conseil de prud'hommes tente obligatoirement de **(2)** .... les **(3)** .... En cas d'échec de la conciliation, il rend un jugement.

Ce **(4)** .... est composé de juges non professionnels élus, les « conseillers prud'homaux », représentant, en nombre égal et pour moitié, les employeurs et les salariés. Les conseillers employeurs et salariés se prononcent sur une **(5)** .... à égalité des voix. Cependant, en cas de **(6)** .... de voix, le conseil de prud'hommes se réunit à nouveau sous la présidence d'un magistrat du tribunal d'instance, juge départiteur : cette nouvelle audience permet de départager les conseillers.

Chaque conseil de prud'hommes est divisé en 5 **(7)** .... spécialisées dans les principaux secteurs du monde du travail (encadrement, industrie, commerce et services commerciaux, agriculture, activités diverses). Chacune de ces sections comprennent au moins un bureau de conciliation et un bureau de jugement. Le bureau de conciliation comprend 2 **(8)** ...., 1 représentant des salariés et 1 représentant des employeurs. Le bureau de jugement comprend théoriquement 2 représentants des salariés, 2 représentants des employeurs et 1 magistrat professionnel qui préside l'audience, lorsqu'il y a départage.

C. PHÉNOMÈNES SOCIAUX

333 Les conflits sociaux. Complétez le texte suivant à l'aide des mots proposés : *émeutes, forces de l'ordre, rassemblement, gaz lacrymogènes, manifester, slogans, échauffourées, pancartes, cortège.*

Lorsque le peuple est mécontent, il sort dans la rue pour **manifester**. En général, le **(1)** .... s'effectue sur une grande place. Les gens crient des **(2)** .... et agitent des **(3)** .... Le **(4)** .... se dirige vers un lieu symbolique de la protestation. Quelquefois, il peut y avoir des **(5)** .... On assiste alors à des **(6)** .... avec les **(7)** .... Pour disperser les manifestants, ils lancent des **(8)** ....

334 Le chômage. Présenter un document. Prenez connaissance de ce document et rédigez un court texte pour le présenter.

Taux de chômage par sexe et âge

Dates	Hommes			Femmes		
	moins 25 ans	25 à 49 ans	50 ans ou +	moins 25 ans	25 à 49 ans	50 ans ou +
sept-03	21,1	7,5	6,8	21,3	10,6	7,2
oct-03	21,1	7,5	6,8	21,2	10,5	7,1
nov-03	21,0	7,5	6,8	21,2	10,5	7,1
déc-03	21,2	7,6	6,8	21,3	10,5	7,1
janv-04	21,0	7,5	6,7	21,2	10,4	7,0
févr-04	21,3	7,4	6,6	21,3	10,4	7,0

Source : Ministère de l'emploi, du travail et de la cohésion sociale.

....

....

....

....

....

....

....

....

335 La protection sociale. Rayez les mots incorrects.

Exemple : Une personne en âge de travailler est un actif / un passif.

a. Une femme qui choisit de rester à la maison pour élever ses enfants est une femme au foyer / de ménage.

b. Un parent peut obtenir une aide financière pendant un certain temps s'il a travaillé auparavant et qu'il décide de s'arrêter pour se consacrer à son/ses enfant(s). Cela s'appelle un congé parental d'élevage / d'éducation.

c. Une personne qui n'a pas ou plus de travail est un chômeur / inemployé.

d. Chaque salarié perçoit / cotise pour le chômage, la retraite, l'assurance-maladie, etc., c'est-à-dire qu'une somme d'argent est directement prélevée sur son salaire.

e. Cela s'appelle les taxes / charges sociales. L'employeur en verse également pour chacun de ses employés.

f. En contrepartie, une personne qui se retrouve sans emploi touchera pendant un certain temps une indemnité / pension.

g. Les personnes qui ne peuvent pas (ou plus) recevoir d'argent parce qu'elles sont sans travail depuis trop longtemps peuvent obtenir le revenu minimum de compensation / d'insertion.

h. Après environ 40 ans de cotisation / paiement, les salariés peuvent prendre leur retraite et recevoir une pension.

336 **L'assurance-maladie. Complétez le texte suivant à l'aide des mots proposés :** *cotisation, couverture maladie universelle, affiliée, prestations, indemnités journalières, bénéficient, critères, ayants droit, remboursement.*

L'assurance-maladie de la Sécurité sociale comprend le **remboursement** des soins (consultations médicales et achats de médicaments) et le versement *(1)* d'...............................
(lorsque le salarié est malade et qu'il ne peut pas aller travailler).

Lorsqu'une personne est assurée on dit qu'elle est *(2)* ....

Le droit au remboursement est valable pour elle-même et pour les membres de sa famille qui ne sont pas salariés que l'on appelle les *(3)* ....

Pour les salariés, le droit au remboursement varie selon la durée de l'activité salariée. Il est ouvert pendant 1 ou 2 ans, suivant la période de *(4)* ....

Les chômeurs sont indemnisés par les ASSEDIC après la perte de leur emploi : ils touchent les mêmes *(5)* .... que lorsqu'ils travaillaient.

Toutes les personnes en préretraite ou touchant une pension de vieillesse de base sont affiliées de plein droit et *(6)* .... du remboursement des soins.

La *(7)* .... propose une assurance-maladie de base pour tous (et notamment les personnes qui ne répondent pas aux *(8)* .... d'ouverture des droits à la Sécurité sociale) et une couverture complémentaire santé pour les personnes dont les revenus sont les plus faibles.

337 **La retraite. Lisez le document puis complétez le résumé qui en est fait à l'aide des mots :** *préretraite, travailler, régime par répartition, cotiser, marché du travail, fonctionnaires, génération, anticipée, démographique.*

Le régime de retraite est géré essentiellement en France par répartition. Ce sont les cotisations prélevées sur les salaires des actifs d'aujourd'hui qui servent à payer les pensions des retraités d'aujourd'hui. C'est un système qui repose sur la solidarité entre les générations : chaque génération paye les retraites des générations précédentes.

Les comptes de la branche vieillesse de la Sécurité sociale sont excédentaires depuis plusieurs années. Cependant, le financement des retraites est confronté principalement à deux phénomènes.

Le premier est démographique : l'arrivée à l'âge de la retraite d'ici 2010 de la génération particulièrement nombreuse de citoyens français issue de l'après-guerre. Conjuguée à la hausse de l'espérance de vie et à un faible taux de fécondité, va conduire à détériorer l'équilibre entre retraités et cotisants.

Le second est économique : l'entrée de plus en plus tardive des jeunes sur le marché du travail et le recours aux dispositifs de départ en retraite anticipé amenuisent le volume des contributions aux régimes de retraite.

Les principaux syndicats avaient appelé à manifester samedi 1er février 2003 en faveur de la préservation du régime par répartition. Devant le Conseil économique et social le lundi 3 février 2003, le Premier ministre, Jean-Pierre Raffarin, a exposé les grandes lignes de la réforme que le gouvernement entend mener. Le régime de retraite par répartition et l'âge de départ à la retraite à 60 ans devraient être préservés. Par contre, les départs en préretraite pourraient être limités et la durée de cotisation entre le public et le privé harmonisée. Enfin, en mars 2002, les chefs d'État de l'Union européenne réunis à Barcelone avaient conclu en faveur d'une augmentation progressive d'environ 5 ans de l'âge moyen de départ à la retraite d'ici 2010.

Le Parlement a adopté jeudi 24 juillet 2003 le projet de loi sur la réforme des retraites. Les mesures de rééquilibrage prévues par le projet de loi permettent de financer près de la moitié du déficit prévu pour 2020. Le texte prévoit un allongement de la durée de cotisation et une augmentation de son montant. Il vise également une augmentation de la durée d'activité et un assouplissement des règles de départ et de cotisation pour permettre une « retraite à la carte ». Enfin, certaines mesures doivent améliorer l'équité sociale du système des retraites en France.

Source : http://www.viepulique.fr/

En France, ceux qui travaillent payent les retraites de la génération précédente : c'est **le régime par répartition**. Cependant, cet équilibre est menacé à cause de l'arrivée prochaine à la retraite de la **(1)** .... issue du baby-boom, du déséquilibre **(2)** ...., de l'arrivée de plus en plus tardive des jeunes sur le **(3)** .... et des départs à la retraite **(4)** .... Parmi les solutions envisagées, il est prévu de conserver le principe de la répartition mais de limiter les départs en **(5)** .... et de rééquilibrer la durée des cotisations entre les **(6)** .... et les autres catégories professionnelles. À l'avenir, il faudra **(7)** .... plus longtemps et davantage et **(8)** .... plus longtemps.

338 L'immigration. Lisez le texte suivant et résumez chaque paragraphe en deux phrases (trois phrases pour le dernier paragraphe).

La France accueille des immigrés depuis bientôt 150 ans. Dans la deuxième moitié du XIXe siècle, alors que la majorité des migrants européens se dirigeait vers les pays neufs en cours de peuplement (États-Unis, Canada, Argentine, Australie, Brésil...), la France était la seule des vieilles nations à compter sur son sol un contingent important d'étrangers : ils étaient plus d'un million au moment du centenaire de la Révolution, en 1889, et beaucoup ont été naturalisés à cette occasion.

Jusqu'à l'entre-deux-guerres, le pays manque d'hommes et de bras, compte tenu de sa faible croissance démographique d'alors, et à l'immigration de travail (Italiens et Polonais surtout) s'ajoute l'accueil de réfugiés : Grecs, Arméniens, Russes, Espagnols... L'immigration reprend vigoureusement après la Seconde Guerre, surtout à la fin des années cinquante ; les enfants du baby-boom ne sont pas encore en âge de travailler alors que le pays entre dans un cycle de forte croissance, les Trente Glorieuses. Les immigrants sont alors de jeunes travailleurs venus d'Italie et d'Espagne au départ, puis du Maghreb et du Portugal, d'Afrique Noire, du Proche-Orient et d'Asie un peu plus tard. À partir du milieu des années soixante-dix, la crise économique et l'arrivée de générations nombreuses sur le marché du travail s'accompagnent d'une montée rapide du chômage. En 1974, des dispositions restreignent l'immigration de travail. Les entrées se ralentissent alors ; elles étaient en moyenne de 220 000 par an entre 1974 et 1982, contre 100 000 entre 1982 et 1990, les flux annuels étant estimés à 120 000 en moyenne entre 1990 et 1995 et à 74 000 en 1997.

L'immigration change aussi de nature ; le regroupement familial devient sa composante principale, les entrées de femmes et d'enfants remplaçant celles des hommes jeunes. Les origines se diversifient aussi, avec une montée importante des flux venus d'Asie et d'Amérique latine ainsi que, plus récemment, des pays d'Europe de l'Est et de Russie. Enfin, l'immigration clandestine touche la France comme de nombreux pays de l'Union européenne ; elle est, par nature, impossible à mesurer, ce qui donne lieu à de nombreuses spéculations. On sait cependant qu'elle est constituée de jeunes travailleurs attirés par la possibilité de gagner leur vie en travaillant « au noir ». En temps de crise, l'immigration suscite de vifs débats et il en a toujours été ainsi dans les périodes difficiles. On observe cependant que les flux anciens d'immigration se sont toujours intégrés, non sans difficultés parfois.

Les évolutions récentes montrent d'ailleurs que les descendants des immigrés de deuxième ou de troisième génération alignent leur comportement et leurs habitudes de vie sur ceux des Français. Si l'on ajoute aux Français ayant au moins un de leurs parents ou grands-parents d'origine étrangère les étrangers actuellement présents sur le territoire (environ 4 millions), on aboutit à un total de plus de 12 millions de personnes issues d'une immigration assez récente. En tenant compte des apports de l'immigration depuis le XIXe siècle, on peut raisonnablement estimer qu'un Français sur quatre a des racines étrangères. Par ailleurs, l'accroissement naturel se tarissant progressivement, seul l'apport migratoire pourrait, à terme, permettre à la population de se maintenir, voire d'augmenter.

Source : Ministère des Affaires étrangères.

Paragraphe 1 :

La France est un pays d'immigration depuis plus d'un siècle.

....

Paragraphe 2 :

....

....

....

Paragraphe 3 :

....

....

....

Paragraphe 4 :

....

....

....

....

....

339 **Le monde associatif. Complétez les phrases suivantes à l'aide des mots proposés**

bureau, bénéfices, adhère, non lucratif, convention, associations, utilité publique, bénévoles, Journal officiel.

> **Exemple :** Il existe 1 600 000 **associations** en France.

a. Elles emploient 1 300 000 salariés et 9 millions de ....

b. L'association est la .... par laquelle deux ou plusieurs personnes mettent en commun, d'une façon permanente, leurs connaissances ou leur activité.

c. Les associations peuvent être reconnues d'....................... par décret en Conseil d'État.

d. Le but d'une association n'est pas de générer des .... Si elle en fait, elle doit les réinvestir.

e. Une association est donc à but ....

f. L'association n'est rendue publique que par une insertion au ....

g. Une association est constituée par un .... qui rassemble les membres du conseil d'administration. Ce sont eux qui votent les décisions importantes.

h. Être membre d'une association signifie que l'on y .... en payant une cotisation.

340 Le monde associatif. Reliez ces associations à leur domaine d'intervention.

a. Emmaüs   1. l'immigration

b. Act Up   2. le sida

c. l'ARC   3. le logement

d. DAL   4. les femmes

e. France Terre d'asile   5. le travail

f. Les chiennes de garde   6. la pauvreté

g. Alliance française   7. la langue française

h. ATTAC   8. le cancer

341 Prendre des notes. Écoutez le document et notez les informations importantes puis résumez-le en huit phrases simples.

> Exemple : *La société et les relations humaines changent.*

....

....

....

....

....

....

....

....

342 Les formes impersonnelles. Cochez pour signifier si *il* est personnel ou impersonnel.

> Exemple : Il est sûr de partir. **1.** ☒ Personnel   **2.** ☐ Impersonnel

a. Il est plaisant d'avoir du temps libre.   **1.** ☐ Personnel   **2.** ☐ Impersonnel

b. Il paraît fatigué.   **1.** ☐ Personnel   **2.** ☐ Impersonnel

c. Il est agréable à regarder.   **1.** ☐ Personnel   **2.** ☐ Impersonnel

d. Il semble que la manifestation soit retardée.   **1.** ☐ Personnel   **2.** ☐ Impersonnel

e. Il est étonnant de cruauté.   **1.** ☐ Personnel   **2.** ☐ Impersonnel

f. Pour manifester, il suffit de descendre dans la rue.   **1.** ☐ Personnel   **2.** ☐ Impersonnel

g. Il est doux d'être aimé.   **1.** ☐ Personnel   **2.** ☐ Impersonnel

h. Il est curieux de nature.   **1.** ☐ Personnel   **2.** ☐ Impersonnel

343 Les formes impersonnelles. Notez si *que* est suivi du subjonctif (S) ou de l'indicatif (I).

> Exemple : Il se peut que + **S**

a. Il est probable que + ...   e. Il est évident que + ...

b. Il est regrettable que + ...   f. Il est certain que + ...

c. Il est nécessaire que + ...   g. Il faut que + ...

d. Il semble que + ...   h. Il paraît que + ...

344 Les formes impersonnelles. Transformez les phrases suivantes à l'aide des indications et des expressions proposées : *il est évident que, il est vrai que, il se peut que, il est dommage que, il apparaît que, il est probable que, il paraît que, il est scandaleux que, il est indispensable que.*

> *Exemple :* J'ai entendu dire que le chômage allait augmenter.
>
> ***Il paraît que le chômage va augmenter.***

a. Elle est peut-être déjà partie. ....

b. Les handicapés ne sont pas beaucoup aidés. Ils devraient l'être davantage. C'est inadmissible ! ....

c. La baisse de la natalité aura des conséquences, c'est certain. ....
....

d. Je regrette que les salariés n'aient pas plus de droits. ....
....

e. Nous devons être solidaires. ....

f. Les salariés feront grève, c'est quasiment certain. ....
....

g. Les chiffres sont apparemment erronés. ....

h. Les syndicats ont permis de nombreux changements. C'est vrai. ....
....

345 Les formes impersonnelles. Écoutez et soulignez la forme impersonnelle entendue.

> *Exemple :* impératif – infinitif présent – infinitif passé – participe présent – <u>participe passé</u>
> – gérondif

a. impératif -- infinitif présent – infinitif passé – participe présent – participe passé – gérondif

b. impératif – infinitif présent – infinitif passé – participe présent – participe passé – gérondif

c. impératif – infinitif présent – infinitif passé – participe présent – participe passé – gérondif

d. impératif – infinitif présent – infinitif passé – participe présent – participe passé – gérondif

e. impératif – infinitif présent – infinitif passé – participe présent – participe passé – gérondif

f. impératif – infinitif présent – infinitif passé – participe présent – participe passé – gérondif

g. impératif – infinitif présent – infinitif passé – participe présent – participe passé – gérondif

h. impératif – infinitif présent – infinitif passé – participe présent – participe passé – gérondif

346 Les formes impersonnelles. Complétez les phrases suivantes à l'aide du verbe *prendre* au gérondif, à l'infinitif présent ou passé, au participe présent ou passé, ou à l'impératif.

> *Exemple :* ***Ayant pris*** sa retraite il y a trois mois, il cherche une activité bénévole.

a. .... actuellement ses congés, elle ne pourra pas assister à la réunion.

b. .... ton temps, rien ne presse !

c. Il a été renvoyé pour .... de l'argent dans la caisse.

d. .... la route par ce temps, c'est de la folie !

e. Il a dicté son discours à sa secrétaire tout .... son petit-déjeuner.

f. À force de .... soin d'eux-mêmes, les Français vivent plus longtemps.

g. .... l'avion des centaines de fois, il ne ressent aucune crainte.

h. .... tout ce que vous voudrez, ça m'est égal !

347 Les congés payés. Lisez les informations sur les congés payés puis répondez aux questions par « oui » ou « non », en faisant une phrase si nécessaire.

Les congés payés

Quelle est leur durée ?

Tout salarié a droit à 2 jours 1/2 ouvrables de congé payé par mois de travail effectif au cours d'une période, dite de référence, qui se situe entre le 1er juin de l'année précédente et le 31 mai de l'année en cours.

La durée de ces congés ne peut dépasser 30 jours ouvrables (soit 5 semaines).

Comment sont calculés les congés ?

Les jours de congé se décomptent en jours ouvrables c'est-à-dire chaque jour de la semaine, exception faite du dimanche (ou du jour de repos hebdomadaire s'il est différent) et des jours fériés chômés. À noter : certaines entreprises calculent les congés en jours ouvrés. Les 30 jours ouvrables deviennent alors 25 jours ouvrés (5 semaines x 5 jours de travail).

Que se passe t-il lorsque...

Le début des vacances est un vendredi soir : le premier samedi ne compte pas : le congé débute le lundi.

Un jour férié tombe pendant le congé : le congé est prolongé de 24 heures, même si ce jour correspond à la journée habituelle de repos dans l'entreprise. Mais un jour de pont est considéré comme un jour ouvrable et ne donne pas droit à congé supplémentaire, à moins d'une disposition différente de la convention collective.

Comment les dates de congé sont-elles fixées ?

C'est l'employeur qui décide avec avis du délégué du personnel.

Le congé principal doit être pris entre le 1er mai et le 31 octobre.

L'employeur peut modifier les dates de départ en congé jusqu'à 1 mois avant la date de départ prévue mais il doit alors rembourser au salarié les frais qu'il a déjà engagés (location, billet d'avion, etc.).

En principe on ne doit pas prendre plus de 24 jours (4 semaines) de suite : le congé doit être pris en 2 fois au minimum sauf pour les salariés justifiant de contraintes particulières (étrangers se rendant dans leur pays d'origine pour les vacances, par exemple).

Par le biais d'une convention ou d'un accord collectif, une entreprise peut proposer le bénéfice d'un compte épargne temps à ses salariés.

(C. trav. : Art. L. 223-1 s.)

M. Lambert est salarié. Il travaille du lundi au vendredi. Il décide de prendre deux semaines de vacances en août, une semaine en décembre, une semaine à Pâques et une semaine en mai.

Exemple : Il dispose de cinq semaines de vacances ? *Oui.*

a. Le congé de décembre représente le congé principal ? ....

b. Comme il ne travaille pas le samedi, ce jour ne sera pas compté dans le calcul de ses congés ? ....

c. Si le 14 juillet tombe un jeudi et que M. Lambert décide de ne pas travailler vendredi, ce jour-là sera soustrait de ces cinq semaines de congés ? ....

d. Est-ce que M. lambert devra travailler le 14 juillet ? ....

e. Cela s'appelle faire le pont ? ....

f. Si ses vacances débutent un vendredi soir, le samedi est soustrait de ses cinq semaines ?

....

g. Le salarié peut, s'il le souhaite, se constituer une réserve de temps ? ....

....

h. Est-ce que l'employeur de M. Lambert a le droit de changer les dates de ses congés ? .

....

348 **Résumer. Lisez le texte suivant puis résumez-le en quelques phrases.**

Dix ans de vacances des Français

En dix ans, la proportion de Français partant en vacances est restée stable : en 1999 comme en 1989, elle s'établit autour de 60 %. Durant cette période, certaines caractéristiques des séjours ont changé. Plus courts, ils sont aussi plus nombreux, signe que les Français fractionnent de plus en plus leurs congés annuels. La physionomie des vacances s'en trouve modifiée : ainsi l'avion, moyen de transport permettant de raccourcir la durée du voyage pour les séjours lointains, et la voiture de location, se sont développés au détriment de la voiture familiale ou du train. Les traditionnelles vacances à la mer de l'été, moins longues, permettent l'apparition d'autres séjours de vacances, souvent des circuits, ou des séjours à la campagne ou en ville. Les séjours de sports d'hiver mais aussi au bord de la mer se développent pendant la saison hivernale.

Par rapport à 1989, la part des séjours à l'étranger est restée stable, sauf en hiver. Les destinations privilégiées, que ce soit en France ou à l'étranger, n'ont pas évolué et ne semblent pas avoir été affectées par le fractionnement des séjours ou par des facteurs économiques et sociaux. Le mode d'hébergement principal est toujours la famille, loin devant la location et l'hôtel.

En été, les séjours dont l'objectif principal est le repos tendent à reculer légèrement depuis dix ans mais ils restent largement majoritaires, alors qu'en hiver, les types de séjours apparaissent beaucoup plus hétérogènes, se partageant entre sports d'hiver, séjours au soleil, découverte de pays lointains et visites familiales.

(Article extrait de *France Portrait Social, édition 2002-2003*, Céline Rouquette, INSEE.)

Exemple : **60 % des Français partent en vacances.**

....

....

....

....

....

349 **Les manifestations festives. Complétez les phrases suivantes à l'aide de :** *Fête de l Musique, Technoparade, Journées du Patrimoine, Champs-Élysées, Fête du Travail, 14 juille Gay Pride, Tour de France, carnavals.*

Exemple : Le soir du 31 décembre, les Parisiens ont pris l'habitude de se retrouver u peu avant minuit sur les ***Champs-Élysées***.

a. Chaque année, en septembre, ont lieu les .... De nombreu édifices sont ouverts au public le temps d'un week-end.

b. Les Français fêtent l'arrivée de l'été le 21 juin. C'est la ....

c. Le soir du ...., après le feu d'artifice, les Français vont danser au bal.

d. Au début du printemps, de nombreux .... sont organisés dans diverses villes d France.

e. En juin, la communauté homosexuelle a pris l'habitude de défiler lors de la .... dans les rues des principales villes françaises.

f. Le 1er mai, comme dans beaucoup de villes du monde, de grandes manifestations se déploient dans les rues lors de la ....

g. La .... est une immense fête qui rassemble tous les amateurs de musique techno en septembre.

h. Le passage du .... donne l'occasion à de nombreux vacanciers de se retrouver sur le bord des routes pour acclamer leur champion.

350 **Reliez ces noms de festivals au thème qu'ils développent.**

a. les Francofolies de le Rochelle   1. la bande dessinée

b. le festival d'Avignon   2. le rock

c. le festival de Cannes   3. la chanson française

d. Idéklic (Moirans-en-Montagne)   4. le jazz

e. Banlieues bleues (Île-de-France)   5. les enfants

f. le Printemps de Bourges   6. le théâtre de rue

g. le festival d'Angoulême   7. le théâtre

h. le festival de Chalon-sur-Saône   8. le cinéma

351 **La conséquence. Soulignez les phrases qui sont souvent utilisées à l'oral.**

Exemple : Les gens ont de plus en plus de temps libre, c'est pour ça qu'ils partent plus souvent en vacances.

a. Ils adorent le théâtre de rue, c'est la raison pour laquelle ils vont chaque année à Chalon-sur-Saône pour assister au festival.

b. J'avais plein de choses à faire, du coup j'ai raté les journées du patrimoine.

c. On a perdu notre argent pendant les vacances, total, on a dormi dans la voiture pendant trois jours.

d. Il a eu de nombreux problèmes avec son ancien employeur ; d'où sa méfiance.

e. On a parlé une heure de la Fête de la Musique. Résultat : on a manqué le film.

f. Vous étiez en réunion alors j'ai pris les messages.

g. Ils ont tellement protesté que plus personne ne les écoutait.

h. Les parents travaillent moins, de sorte que les enfants profitent davantage de la compagnie de leurs parents.

352 **Les verbes marquant la conséquence. Complétez les phrases suivantes à l'aide des verbes :** *provoquer, aboutir, conduire, avoir pour effet, déclencher, entraîner, causer, inciter, encourager,* **au passé composé (parfois plusieurs réponses possibles).**

Exemple : Les départs en vacances ***ont provoqué*** un embouteillage monstre aux portes de Paris.

a. La réduction du temps de travail .... les gens à pratiquer de nouvelles activités sportives.

b. La canicule .... d'augmenter considérablement la consommation d'eau minérale.

c. La grève des transports .... une baisse de la fréquentation des magasins.

d. La réduction du temps de travail .... à la création de nouveaux emplois.

e. L'absence de négociations .... à la grève.

f. L'attitude de certains manifestants a incité les forces de l'ordre à intervenir.

g. Les échauffourées .... de nombreux dégâts matériels sans faire de victime.

h. Les mesures prises concernant les intermittents du spectacle .... de nombreuses protestations parmi les artistes et la communauté intellectuelle.

353 **La conséquence. Complétez les phrases suivantes à l'aide des mots proposés :** *au point de, de ce fait, alors, sans que, c'est la raison pour laquelle, de sorte que, c'est pourquoi, si bien que* **(parfois plusieurs réponses possibles).**

> **Exemple :** Les salariés voulaient une prime de fin d'année. Le patron refusait, *alors* ils ont fait grève.

a. Monsieur Lefèvre n'avait pas assez cotisé, ... il n'a pas pu prendre sa retraite à 60 ans.

b. La radio a annoncé un concert exceptionnel sur la Place de la République. .... elle sera fermée à la circulation automobile.

c. La sécurité sociale est en déficit, ... les salaires vont devoir être prélevés davantage.

d. Le festival a connu un immense succès. .... il sera reconduit l'année prochaine.

e. Les autorités craignent que les conditions de sécurité ne soient pas suffisantes lors des Journées du Patrimoine, ... elles ont décidé de les annuler cette année.

f. Les délégués se plaignent constamment .... se disputer avec tous leurs collègues

g. La société française a beaucoup changé .... certaines personnes éprouvent des difficultés à s'adapter à la modernité.

h. Ils ne peuvent pas négocier avec la direction .... cela se sache.

354 **Conséquence et intensité. Soulignez les mots qui donnent l'idée d'intensité.**

> **Exemple :** Il est <u>tellement</u> fatigué <u>qu'</u>il ne peut plus marcher.

a. Nous avons fait tant de kilomètres à pied que nos pieds sont gonflés.

b. Elle est si timide qu'elle n'ose pas demander à son patron une augmentation.

c. Vous parlez tellement que vous n'écoutez pas les revendications des salariés.

d. Tu es parti si longtemps que plus personne ne te reconnaît.

e. J'ai tant crié pendant la manifestation que je n'ai plus de voix.

f. On a tellement de reproches à faire aux délégués syndicaux qu'on ne leur fait plus confiance.

g. Ils s'occupent si bien de nos problèmes que nous avons voté pour eux.

h. Elle est tellement compétente qu'elle a obtenu un poste à responsabilités.

355 Conséquence et intensité. Notez si l'intensité concerne un adjectif (Adj), un adverbe (Adv), un nom (N), ou un verbe (V).

Exemple : La Fête de la musique est tellement réputée qu'elle draine des milliers de personnes dans les rues. **Adj**

a. J'ai écouté tant de musique que j'ai les oreilles qui sifflent. ....

b. Il est si heureux qu'il a chanté toute la soirée. ....

c. Nous manifestons tellement que nous n'avons plus un seul week-end de libre. ......

d. Vous travaillez si souvent que vous ne voyez plus personne. ....

e. Elle a tant attendu qu'elle s'est endormi dans la salle d'attente de la Sécurité sociale. ......

f. Tu as tellement de papiers que tu ne sais plus où les ranger. ......

g. Ils défendent si bien les salariés de leur entreprise que les conditions de travail y sont exceptionnelles. ....

h. On étaient tellement désolés de devoir rester à Paris pendant les vacances qu'on a décidé de prendre nos congés plus tard. ....

356 Conséquence et intensité. Transformez la phrase proposée en en respectant le sens.

Exemple : Il a tellement étudié son dossier qu'il le connaît par cœur.
Il a tant étudié son dossier qu'il le connaît par cœur.

a. Ces formulaires sont si compliqués à remplir que j'ai besoin d'aide.

→ ....

b. Vous vous exprimez tellement mal qu'aucun employeur ne vous confiera un poste de standardiste. → ....
....

c. Il a visité tellement de monuments pendant les Journées du Patrimoine qu'il ne sait plus très bien ce qu'il a vu. → ....
....

d. J'ai tant dansé au bal du 14 juillet que je ne peux plus tenir debout.

→ ....

e. Il y a tant de monde à cette manifestation qu'il est impossible de retrouver quelqu'un à qui on a donné rendez-vous. → ....
....

f. Elles aiment tellement faire la fête qu'elles ne ratent jamais une occasion.

→ ....

g. Tu parais si satisfaite des négociations salariales que je suppose que la réunion s'est bien passée. → ....
....

h. Nous défilons si souvent pour le 1er mai que tout le monde nous connaît.

→ ....

Bilan

357 La conséquence. Complétez ces phrases à l'aide des expressions de conséquence.

> *Exemple :* Les salariés ont soulevé de nombreux problèmes liés à leurs condition de travail. ***C'est pourquoi***, les syndicats organisent une assemblée générale.

a. La situation démographique a .... évolué ...... il faut trouver de nouvelles solutions concernant les retraites.

b. Le chômage touche essentiellement les jeunes, ... le ministère a créé une cellule d'information tout spécialement pour eux.

c. Les émeutes qui ont lieu après la manifestation ont eu .... d'aggraver les tensions entre syndicats et pouvoirs publics.

d. Les Français travaillent de moins en moins .... ils consacrent plus de temps à leurs loisirs et à leur famille.

e. Ils ont protesté ...... énergiquement .... leur patron a cédé.

f. Nous sommes au chômage depuis trop longtemps, ... nous avons décidé de créer notre entreprise.

g. Le projet de loi a déclenché de nombreuses protestations. .... le gouvernement a décidé de le reporter.

h. Le cœur n'était pas à la fête ce soir. ...., le concert s'est terminé plus tôt que prévu.

358 Complétez les phrases suivantes à l'aide des mots : *retraite, société, négociations, majorité, syndicats, associations, festivals, manifester, cotisent.*

> *Exemple :* La **société** française a considérablement changé depuis un siècle.

a. La .... des Français part en vacances.

b. Les .... protègent les salariés.

c. Les pouvoirs publics entament des .... en cas de conflit important.

d. L'âge de la .... va être repoussé.

e. En cas de conflits sociaux, les Français descendent dans la rue pour ....

f. Beaucoup de villes organisent des .... durant l'été.

g. Les Français .... pour avoir droit à l'assurance-maladie.

h. Les .... sont de plus en plus nombreuses et prennent souvent le relais des pouvoirs publics.

X. MEDIA, POLITIQUE & CO

A. MEDIAS

359 Retrouvez quels sont les médias concernés.

a. France 2

b. France Info

c. France-soir

d. TF1

e. Arte

f. RTL

g. Libération

h. Europe 1

1. la presse écrite

2. la télévision

3. la radio

360 La presse écrite. Cochez ce qui convient.

> **Exemple :**   *Le Monde* **1.** ☒ Quotidien d'information   **2.** ☐ Magazine de reportages

a. *Télérama* **1.** ☐ magazine culturel **2.** ☐ magazine féminin

b. *Le Canard enchaîné* **1.** ☐ quotidien d'information **2.** ☐ hebdomadaire satirique

c. *L'Équipe* **1.** ☐ quotidien sportif **2.** ☐ quotidien d'information

d. *La Dépêche du Midi* 1. quotidien national **2.** ☐ quotidien régional

e. *Elle* **1.** ☐ magazine d'information **2.** ☐ magazine féminin

f. *Le Nouvel Observateur* **1.** ☐ quotidien d'information **2.** ☐ hebdomadaire politique écono-mique et cuturel

g. *Géo* **1.** ☐ magazine de reportages **2.** ☐ revue de géographie

h. *Les Clés de l'actualité* **1.** ☐ quotidien pour les jeunes **2.** ☐ hebdomadaire pour les jeunes

361 La presse écrite nationale. Soulignez les quotidiens nationaux.

Le Monde – Marie-Claire – Maison & Travaux – Télé Loisir – Libération – Zurban – Les Échos – Le Monde diplomatique – Aujourd'hui – Charlie Hebdo – L'Express – Voici – Paris Match – Parents – Phosphore – Science et Avenir – Le Figaro – Le Point – Psychologie – Notre Temps – Rustica – Interview – Le Revenu français – Rebondir – Carrières et Emploi – Parti-culier à Particulier – France-Soir – Isa – Ça m'intéresse – L'Écho des Savanes – Courrier international – Modes et Travaux – Historia – Jeune Afrique – Jeune et Jolie – L'Humanité – Télé 7 jeux – Art Presse – La Croix – Ici Paris – Vital – Santé Magazine – Première – Tiercé Magazine – Onze

362 La presse écrite régionale. Répondez à l'aide des titres de journaux proposés : *Le Républicain lorrain, Le Midi libre, Ouest-France, Sud-Ouest, La Voix du Nord, Les Dernières Nouvelles d'Alsace, Le Progrès, Le Dauphiné libéré, La République du Centre.*

> **Exemple :** Que lit-on à Bordeaux ? **Sud-Ouest**

a. Que lit-on à Strasbourg ? ....

b. Que lit-on à Lyon ? ....

c. Que lit-on à Rennes ? ....

d. Que lit-on à Lille ? ....

e. Que lit-on à Nancy ? ....

f. Que lit-on à Grenoble ? ....

g. Que lit-on à Marseille ? ....

h. Que lit-on à Clermont-Ferrand ? ....

363 La télévision. Complétez ces phrases à l'aide des mots suivants : *variétés, débats, chaînes, émissions, feuilleton, reportages, programme, zappe, flash.*

> **Exemple :** J'adore la télévision ! Depuis que je suis à la retraite, je passe toutes mes jour-
> nées à la regarder. J'achète le ***programme*** chaque semaine et je prépare la liste
> de ce que j'ai envie de voir. Je suis très organisée.

a. Le matin, je regarde d'abord le .... d'information pour savoir ce qui se passe dans le monde.

b. Ensuite, je regarde quelques .... sur des pays lointains parce que je n'ai jamais voyagé.

c. Vers midi, je suis attentivement des .... de jeux.

d. L'après-midi, je ne voudrais manquer sous aucun prétexte mon .... préféré *Les Feux de l'amour.*

e. Le soir, j'aime voir des émissions de .... parce que j'aime beaucoup les chansons.

f. Mais il m'arrive parfois d'être plus sérieuse et de suivre des .... politiques.

g. Ce qu'il y a de formidable avec la télévision, c'est qu'il y a le choix. Surtout depuis que je suis abonnée au câble. Je peux voir des dizaines de ....

h. Et dès qu'il y a de la publicité, je .... ! Non, la télé, c'est vraiment bien !

364 La télévision. Retrouvez à quoi correspondent ces chaînes.

a. France 5

b. TF1

c. France 2

d. Canal +   1. chaîne du service public

e. Arte   2. chaîne privée gratuite

f. LCI   3. chaîne privée payante

g. France 3   4. chaîne franco-allemande gratuite le soir

h. M6

365 La radio. Écoutez ce que les gens disent puis notez la radio qu'ils écoutent : *Nostalgie, France Info, Rire et Chansons, Europe 2, RTL, France Culture, RFI, Radio Bleu, NRJ.*

  Exemple :   **RTL**

a. ....

b. ....

c. ....

d. ....

e. ....

f. ....

g. ....

h. ....

366 La radio. Complétez les phrases à l'aide des mots suivants : *fréquence, ondes, auditeurs, ouïe, station, transistor, radiophoniques, crochet, bruitages.*

  Exemple :   J'adore écouter les fictions **radiophoniques** sur France Culture

a. La grande majorité des radios sont écoutées en modulation de .... (FM).

b. Pour capter les radios lointaines, il faut passer en .... courtes.

c. Cette chanteuse a remporté un radio .... dans les années soixante.

d. Le sens qui est sollicité quand on écoute la radio est l'..........

e. Le lieu d'où la radio émet s'appelle une ....

f. J'aime écouter la radio partout. J'ai donc acheté un ....

g. Pour créer des images à partir des sons le réalisateur radio peut utiliser des ....

h. Les personnes qui écoutent la radio sont les ....

367 Les sens. Reliez ces actions au sens qu'elles mobilisent.

a. J'écoute la radio.

b. Je regarde des photographies.

c. Je mange une pomme.

d. Je lis du Braille.

e. Je respire un parfum.

f. Je lis le journal.

g. Je regarde la télévision.

h. Je sens que c'est rugueux.

1. l'odorat
2. l'ouïe
3. la vue
4. le goût
5. le toucher

B. POLITIQUE

368 Symboles de la République. Répondez aux questions en cochant la bonne réponse.

  Exemple :   Quel est le prénom féminin qui symbolise la République française ?

    1. ☒ Marianne   **2.** ☐ Ariane   **3.** ☐ Sylvianne

a. Quel est le terme géométrique utilisé pour désigner la France ?

  1. ☐ le pentagone   **2.** ☐ l'octogone   **3.** ☐ l'hexagone

b. Quelle est la devise de la République française ?

  1. ☐ « Égalité, Unité, Fraternité »   **2.** ☐ « Liberté, Égalité, Fraternité »

  3. ☐ « Liberté, Solidarité, Équité »

c. Quel est le nom de l'hymne national français ?

1. ☐ La Marseillaise **2.** ☐ La Versaillaise **3.** ☐ La Bordelaise

d. Qu'est-ce qui transforme les projets en ordres et donne aux lois leur caractère définitif ?

1. ☐ Le sot de la République **2.** ☐ Le seau de la République

3. ☐ Le sceau de la République

e. Les trois couleurs du drapeau français représentent :

- le bleu : **1.** ☐ la couleur de Paris **2.** ☐ la Seine

- le blanc : **1.** ☐ la loyauté **2.** ☐ la royauté

- le rouge : **1.** ☐ le vin **2.** ☐ la révolution.

f. Que commémore le jour de la Fête nationale ?

1. ☐ La prise de la Bastille **2.** ☐ La décapitation de Louis XV

3. ☐ L'élection du premier président de la République au suffrage universel

g. Quel est l'animal qui symbolise la France ? **1.** ☐ le crocodile **2.** ☐ le coq **3.** ☐ le sanglie

---

369 **Complétez ces phrases à l'aide des mots suivants :** *abstention, électorat, urne, candidate* *électeur, voix, bulletin, campagne, élu.*

Exemple : Elle veut se présenter aux élections, elle est **candidate**.

a. L'ensemble des personnes pouvant voter forme l'.................

b. Avant les élections, le candidat est en .... électorale.

c. Un .... est une personne qui a le droit de vote.

d. La boîte dans laquelle l'électeur dépose son vote s'appelle une ....

e. L'ensemble des votes se traduit en nombre de ....

f. Les personnes pouvant voter et qui n'exercent pas ce droit forme l'.................

g. Le candidat qui est choisi est ....

h. Le document sur lequel est désigné le candidat s'appelle un ....

---

370 **Complétez les phrases suivantes à l'aide des mots :** *cantonales, gouvernement, munici* *pales, Premier ministre, cohabitation, référendum, présidentielles, régionales, législatives.*

Exemple : Le président de la République est élu aux élections **présidentielles**.

a. Les maires sont élus aux élections ....

b. Les députés sont élus aux élections ....

c. Une élection organisée pour répondre à une question posée par le gouvernement s'appell un ....

d. Le président nomme le ....

e. Le Premier ministre choisit les ministres qui formeront le ....

f. Lorsque le président et le Premier ministre ne sont pas du même parti politique, il s'ag d'une ....

g. Les conseillers généraux sont élus aux élections ....

h. Les conseillers régionaux sont élus aux élections ....

371 Élections. Pour combien de temps sont-ils élus ?

a. les conseillers municipaux

b. le président de la République

c. les députés   1. 9 ans

d. les conseillers généraux   2. 6 ans

e. les sénateurs   3. 5 ans

f. les conseillers régionaux

g. les députés européens

372 Notez si les affirmations sont vraies (V) ou fausses (F).

   Exemple : En France, le président de la République est élu pour 7 ans. *(F) (5 ans)*

a. Le président de la République peut dissoudre l'Assemblée nationale. (   )

b. Les ministres n'ont pas le droit de présenter leur démission. (   )

c. Les sénateurs sont élus au suffrage universel direct. (   )

d. Le parlement est constitué de l'Assemblée nationale et du Sénat. (   )

e. Les députés, les conseillers généraux, régionaux et municipaux forment le collège électoral. (   )

f. La Constitution de la Ve République a été promulguée le 4 octobre 1959. (   )

g. Le Conseil constitutionnel contrôle le déroulement des élections et vérifie si les lois sont conformes à la Constitution. (   )

373 Complétez les phrases suivantes à l'aide des mots suivants : *inéligible, majorité, battu, sortant, coalition, ballottage, opposition, mandat, scrutin.*

   Exemple : Les représentants du parti politique au pouvoir forme la *majorité*.

a. Les représentants des partis qui ne sont pas au pouvoir forment l'....................

b. Lorsque plusieurs partis s'unissent pour remporter des voix, on appelle cela une ....

c. Le candidat de la majorité a été élu au premier tour de ....

d. Le pouvoir de représentation donné à un élu par ses électeurs s'appelle un ....

e. Un candidat .... a de bonnes chances d'être élu.

f. Des candidats sont en .... lorsqu'un second tour est nécessaire pour les départager.

g. Un candidat est .... lorsqu'il perd les élections.

h. Une personne qui ne peut pas se présenter à des élections est ....

374 Quelle fonction ces hommes politiques ont-ils eue ou ont-ils actuellement ?

a. Bertrand Delanoë

b. Georges Pompidou

c. Édith Cresson

d. Jacques Chirac   1. Maire de Paris

e. François Mitterrand   2. Premier ministre

f. Charles de Gaulle   3. Président de la République

g. Lionel Jospin

h. Valéry Giscard d'Estaing

375 | **Lieux de pouvoir. Où résident-ils ? Où siègent-ils?**

a. les sénateurs _____
b. le Premier ministre
c. le ministre des Finances
d. les députés
e. le président de la République
f. la Police judiciaire
g. le ministère des Affaires étrangères
h. la Bourse

1. à Matignon
2. au Quai d'Orsay
3. au Palais Bourbon
4. à Bercy
5. au Quai des Orfèvres
6. à l'Élysée
7. au Palais Brongniart
8. au Luxembourg

376 | **Lieux de pouvoir. Complétez les phrases suivantes à l'aide des mots de l'exercice précédent.**

a. .... n'a pas encore constitué son gouvernement !
b. .... donne un délai supplémentaire pour les déclarations d'impôts.
c. .... s'inquiète de la chute de Wall Street.
d. L'inspecteur l'a conduit .... pour qu'il y soit interrogé.
e. La première femme à .... ? C'est pour bientôt !
f. .... a voté à la majorité absolue la motion de censure. Le gouvernement doit démissionner.
g. À cause du cyclone Galifo, ... recommande la plus grande prudence à tous les voyageurs se rendant à Madagascar.
h. .... a posé plusieurs questions au gouvernement relatif à ce projet de loi.

377 | **Discours indirect. Soulignez ce qui est/a été/sera dit.**

Exemple : Le Premier ministre annoncera prochainement <u>la constitution de son gouvernement</u>.

a. L'opposition a critiqué la politique du gouvernement.
b. Le président de la République demande à ces concitoyens la plus grande vigilance.
c. Lionel Jospin a annoncé solennellement qu'il quittait la vie politique.
d. Les élus ont condamné le déroulement des élections.
e. Le député expliquera les raisons de sa démission lors d'un entretien télévisé.
f. Le Premier ministre a présenté son plan de lutte contre le chômage.
g. Le célèbre homme politique a affirmé qu'il n'abandonnerait pas la lutte.
h. Le ministre de l'Intérieur a rappelé qu'il souhaitait voir les négociations aboutir.

378 | **Nominalisation et discours indirect. Écoutez et complétez les phrases suivantes à l'aide d'un nom.**

Exemple : Le maire a souligné *l'importance des efforts effectués*.

a. Frank Capelier a confirmé ....
b. Le chef de l'État a rappelé ....
c. L'élu demande ....
d. La majorité souhaite ....
e. Le ministre de l'Intérieur appelle à ....

f. Les militants ont annoncé ....
g. Un candidat a déclaré ....
h. Le président de la République a annoncé ....

379 Discours indirect. Reliez le discours direct au discours indirect.

1. Elle a dit qu'il avait été candidat.
2. Il annonce qu'il s'oppose à cette décision.
a. Je m'oppose à cette décision !
3. Elle va dire qu'il a été candidat.
b. Nous continuerons le combat !
4. Il a demandé si vous souhaitiez qu'il se présente.
c. Il a été candidat.
5. Il a dit qu'il s'opposait à cette décision.
d. Vous souhaitez qu'il se présente ?
6. Ils ont dit qu'ils continueraient le combat.
7. Il demande si vous souhaitez qu'il se présente.
8. Ils disent qu'ils continueront le combat.

380 Discours indirect. Transformez les questions suivantes au discours indirect.
Exemple :   Quand irez-vous voter ? Elle a demandé *quand nous irions voter*.
a. Quelles sont vos propositions ? Ils ont voulu savoir ....
b. Où allez-vous vous présenter ? Le journaliste lui a demandé ....
....
c. Quand annoncerez-vous votre programme ? Nous lui avons demandé ....
....
d. À qui avez-vous fait confiance ? Je lui ai demandé ....
e. Pour qui voudriez-vous voter ? Elle leur a demandé ....
f. Comptez-vous voter ? Il lui a demandé ....
g. Comment peut-on faire pour se présenter aux élections ? Elle nous a demandé ....
....
h. Que ferez-vous le jour des élections ? Je leur ai demandé ....
....

381 Discours indirect. Rapportez le discours politique de ce candidat.

Mes chers compatriotes,
Je sais combien les temps sont difficiles.
Le chômage est important, la pauvreté touche de plus en plus de monde, l'insécurité règne dans de nombreux quartiers.
Nous pouvons néanmoins changer les choses. Il est nécessaire que nous gardions confiance en l'avenir.
Je suis persuadé qu'ensemble nous pourrons surmonter toutes les difficultés.
Rassemblons nos forces pour vaincre la misère ! Soyons solidaires !

Le candidat nous a dit qu'*il savait combien les temps étaient difficiles*.
Il nous a expliqué ....
Il a annoncé ....
Il a ajouté qu'...
Il nous a demandé ....

382 Reliez les expressions imagées à la phrase qui a le même sens.

a. Elle nous a tenu la jambe pendant au moins deux heures ! _____

b. Elle nous a cassé du sucre sur le dos.

c. Elle a répondu complètement à côté de la plaque.

d. Elle ne nous a pas laissés en placer une.

e. Elle n'a pas mâché ses mots.

f. Elle s'est payée notre tête.

g. Elle nous a passé un de ces savons !

h. Elle nous a menés en bateau.

1. Nous n'avons rien pu dire.

2. Elle s'est moquée de nous.

3. Elle nous a critiqué en notre absence.

4. Elle nous a fait croire à son histoire, alors qu'elle était fausse.

5. Elle n'a pas donné les bonnes réponses.

6. Nous ne pouvions pas nous en débarrasser.

7. Elle a été très directe et a dit tout ce qu'elle pensait.

8. Elle était très fâchée et nous a fait des reproches.

383 Discours Indirect. Transformez les phrases suivantes à l'aide des verbes introducteurs suivants (au passé composé) : *conclure, menacer, s'excuser, déplorer, s'inquiéter, renouveler, manifester, renoncer à, préciser.*

   Exemple :   « Voilà, je finirai sur ces mots : le travail, c'est la santé ! »

   Il a conclu son discours par le dicton : le travail, c'est la santé.

a. « C'est regrettable qu'il n'y ait pas eu plus de votants lors de ce scrutin. » ....
   ....

b. « Si vous continuez ainsi, je devrai faire appel aux forces de l'ordre. » ....
   ....

c. « Je vous le redis, j'ai toute confiance en vous ! » ....
   ....

d. « Désolé, mon programme n'est pas très original ! » ....
   ....

e. « Les sondages ne sont pas en notre faveur, j'espère qu'ils se trompent. » ....
   ....

f. « Non, les bureaux de vote sont ouverts jusqu'à 20 heures dans votre commune. » ....
   ....

g. « Je n'arriverai jamais à leur expliquer les enjeux de ma politique ! » ....
   ....

h. « Super ! Nous avons gagné ! 42 % de la population a cru en notre programme ! » ....
   ....

384 Écoutez et cochez ce qui a été dit (discours direct).

   Exemple :   **1.** ☐ Je suis heureuse d'être allée voter.

   2. ☐ J'ai été heureuse de ne pas avoir voté.

   3. ☒ Je suis heureuse de ne pas avoir voté.

a. **1.** ☐ Je ne comprendrais jamais les hommes politiques.

   2. ☐ Ah ! Les hommes politiques, je ne les ai jamais compris.

   3. ☐ Je n'aurais jamais compris les hommes politiques.

b. **1.** ☐ J'ai toujours voulu être maire.

   2. ☐ Cela me plairait si je devenais maire.

   3. ☐ J'aurais aimé devenir maire.

c. **1.** ☐ Tu aurais dû aller t'inscrire à la mairie sur les listes électorales avant le 31 décembre.

   2. ☐ Il fallait aller t'inscrire à la mairie sur les listes électorales avant le 31 décembre.

   3. ☐ Va t'inscrire sur les listes électorale avant le 31 décembre en mairie.

d. **1.** ☐ Je vais te donner procuration pour le prochain tour.

   2. ☐ Donne-moi procuration pour les prochaines élections.

   3. ☐ Je t'ai donné procuration pour le prochain scrutin.

e. **1.** ☐ Il ne faut jamais croire les sondages d'opinion.

   2. ☐ Je n'ai jamais cru les sondages d'opinion.

   3. ☐ On ne devrait jamais croire les sondages d'opinion.

f. **1.** ☐ J'ai cru qu'elle se représenterait aux élections régionales.

   2. ☐ À mon avis, elle ne se représentera pas aux élections régionales.

   3. ☐ Il ne faut pas qu'elle se représente aux élections régionales.

g. **1.** ☐ Quand ce problème deviendra trop important, prévenez-moi !

   2. ☐ Le problème est trop important, on aurait dû me prévenir.

   3. ☐ Le problème était trop important, on devrait me prévenir.

h. **1.** ☐ Je n'ai pas fusionné ma liste avec ce parti.

   2. ☐ Ne fusionnons pas nos listes !

   3. ☐ En aucun cas, je fusionnerai ma liste avec ce parti !

C. ÉCONOMIE

385 Reliez le nom à son contraire.

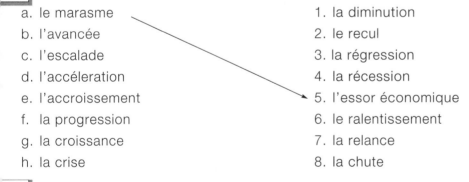

a. le marasme

b. l'avancée

c. l'escalade

d. l'accélération

e. l'accroissement

f. la progression

g. la croissance

h. la crise

1. la diminution

2. le recul

3. la régression

4. la récession

5. l'essor économique

6. le ralentissement

7. la relance

8. la chute

386 Rayez dans ce texte le terme qui ne convient pas.

Exemple : Certains pays ont connu en 2003 une croissance / ~~récession~~ particulièrement forte (+ 9,1 %).

(1) L'accroissement / L'accélération de cette croissance a été momentanément ralentie par l'épidémie du syndrome respiratoire aigu sévère (SRAS) au deuxième trimestre. Afin de contrecarrer ce *(2)* marasme / ralentissement, les autorités ont poursuivi une politique *(3)* monétaire / planétaire expansionniste. La forte *(4)* diminution / augmentation des investissements dans l'industrie manufacturière (+ 39 %) a conduit les autorités locales à soutenir les projets de créations de zones industrielles. Les performances de l'industrie

contrastent avec la **(5)** stagnation / relance du secteur agricole (+ 0,4 %) qui s'explique par le **(6)** redressement / recul de la production de céréales (peu rentable pour les paysans). Cette croissance s'est accompagnée d'une **(7)** progression / régression accélérée des échanges extérieurs (exportations + 35 %, importations + 40 %). La progression spectaculaire des importations s'explique par la forte demande interne et par la **(8)** hausse / baisse des tarifs douaniers.

387 **Reliez ces grandes entreprises françaises à leur domaine d'activité.**

a. Danone	1. l'hôtellerie
b. Carrefour	2. la grande distribution
c. Renault	3. les pneus
d. Bouygues	4. les cosmétiques
e. Accor	5. l'agroalimentaire
f. Michelin	6. le Bâtiment et les Travaux Publics (BTP)
g. L'Oréal	7. la téléphonie
h. Alcatel	8. l'automobile

388 **Complétez ce texte à l'aide de :** *boursicoter, actions, SICAV*, bourse, fiscalité, Plan d'Épargne en Actions, plus-values, portefeuille, F.C.P.***

Exemple : Jouer en **bourse**, ce n'est pas si sorcier !

Vous voulez être tranquille et ne pas trop vous inquiéter pour votre **(1)** ....-titres ! Investissez dans des **(2)** .... ou des ...., leur cours est en général plus régulier et moins en dents de scie que les **(3)** .... Achetez et vendez tant que vous voulez, toutefois faites attention à la **(4)** .... ! En effet, si vous vendez pendant l'année pour plus de 15 000 € de titres, vous devrez payer des impôts sur vos **(5)** .... !

Mais si vous voulez quand même **(6)** .... sans vous soucier de la fiscalité pendant huit ans, souscrivez un **(7)** .... dans votre banque.

389 **Reliez le nom à sa définition.**

	1. marché plus accessible aux PME et PMI
	2. fraction du capital d'une société de capitaux, que l'on peut
a. la Bourse	acheter ou vendre
b. l'action	3. elles regroupent les actions et les obligations
c. l'obligation	4. détenteur d'actions ayant la qualité d'associé
d. le marché officiel	5. marché public où se font des opérations financières et où le
e. le second marché	cours des actions est déterminé
f. les valeurs mobilières	6. marché réservé aux titres des grandes entreprises et des
g. l'actionnaire	administrations de l'État
h. les dividendes	7. part de bénéfice redistribuée aux actionnaires
	8. titre de créance à plus ou moins long terme, pouvant être émis
	par une collectivité locale

* Société d'Investissement à CApital Variable : portefeuille de valeurs mobilières détenu collectivement par des épargnants et géré par un établissement spécialisé.

** Fond Commun de Placement.

390 Homophones. Complétez les phrases suivantes à l'aide de : *cour, courre, coures, court, courts, cours, courent*.

Exemple : Pour gérer son portefeuille-titres, il regarde tous les jours le **cours** de ses actions sur internet.

a. Pour perfectionner mon français, je prends des ………

b. L'entretien des ……… de tennis municipaux coûte à la commune plus de 150 000 € par an.

c. Un ……… de langue d'une heure, c'est trop ……… !

d. Les poules courent toute la journée dans la basse-………

e. Il a été interrompu par le mauvais temps au ……… de son ascencion vers le sommet du Mont-Blanc.

f. Si tu veux être le premier, il faut que tu ……… plus vite !

g. J'aurais bien voulu vivre à la ……… au temps de Louis XVI.

h. Ma mère a lu dans le journal qu'il y avait encore des adeptes de la chasse à ……….

391 Expressions. Soulignez dans ce texte les expressions utilisées avec [kur] et notez-les.

Le bruit court que Julien, facteur de son état, faisait la cour à Paulette, boulangère. Il paraît que quand Julien lui a demandé de l'épouser dans un discours bien préparé, elle y a tout de suite coupé court en lui disant : « Ne va pas plus loin, je crois que tu es à court d'arguments maintenant et de toute manière, c'est non ! » La repartie de Paulette a pris Julien de court, il ne savait plus quoi dire et il est parti. En arrivant chez lui, il a donné libre cours à sa douleur, en pleurant à chaudes larmes. L'histoire d'amour de Julien et Paulette a donc tourné court. Après...

Voulez-vous connaître la vérité ? Oui, la vérité tout court !

Maintenant, Julien est passé dans la cour des grands et va bientôt se marier avec une princesse.

392 Reliez ces expressions à leur définition.

a. un bruit court ——————— 1. manquer
b. faire la cour à quelqu'un 2. laisser faire
c. couper court 3. à l'état brut
d. être à court 4. une rumeur circule
e. donner libre cours 5. s'arrêter
f. tourner court 6. l'approcher en vue de le séduire
g. tout court 7. côtoyer des gens importants
h. jouer dans la cour des grands 8. interrompre

393 Complétez le texte à l'aide de : *l'indice, économique, clôture, Bourse, hausse, séance, reprise, progression, points*.

En l'absence d'actualité **économique** la **(1)** ………… de Paris a repris dans l'après-midi le chemin de la hausse dans le sillage de Wall Street. Hésitant dans la première partie de la **(2)** …………, le CAC 40 a finalement terminé en **(3)** ………… de 1,16 %, à 3 634,18

(4) .... **(5)** L'........... parisien, qui a accéléré sa **(6)** .... dans l'après-midi, a signé une troisième séance de **(7)** .... technique. Il repasse ainsi les 3 600 points, seuil abandonné depuis la **(8)** .... du 19 mars.

D. JUSTICE

394 **Complétez les phrases suivantes à l'aide de :** *cour d'appel, tribunal de police, le tribunal d'instance ou le tribunal de grande instance, conseil des prud'hommes, tribunaux de commerce, cour d'assises, tribunal correctionnel, cour de cassation, tribunal administratif.*

> **Exemple :** En cas de litiges entre particuliers, l'affaire est jugée devant **le tribunal d'instance ou le tribunal de grande instance** selon la gravité du délit.

a. Les infractions à la loi sont jugées en fonction de la gravité de celles-ci. Les contraventions sont traitées par le .... et l'amende correspond à la sanction.

b. Les délits sont jugés par le .... et les responsables de ces délits sont passibles d'emprisonnements courts et d'amendes.

c. Les crimes sont jugés par la .... et les responsables de ces crimes sont passibles d'une peine de réclusion ou de détention criminelle pour une durée limitée ou à perpétuité.

d. La .... juge à nouveau l'affaire lorsqu'une des deux parties n'est pas satis faite de la décision du juge et « fait appel ».

e. La .... se prononce sur la forme du jugement et sa conformité avec les lois. Elle peut casser ou rejeter un pourvoi déposé.

f. Le .... a pour rôle de juger les litiges entre l'administration et le citoyen.

g. Les conflits entre employeurs et salariés se règlent devant le ....

h. Les .... traitent les conflits entre commerçants.

395 **Notez de 1 à 8 les différentes étapes de la procédure pénale.**

a. Le juge d'instruction peut décider d'un non-lieu. (   )

b. Un citoyen commet une infraction. (   )

c. Le juge instruit l'affaire. (   )

d. Le procureur peut décider de confier l'affaire au juge d'instruction. (   )

e. Ou le juge d'instruction peut décider le renvoi de l'affaire devant le tribunal compétent en fonction de la gravité de l'infraction. (   )

f. Le procureur est saisi de l'affaire. (   )

g. La police enquête. (   )

h. Le jugement est rendu. acquittement, amende et/ou prison. (   )

396 La cour d'assises. Reliez la définition au nom correspondant.

a. magistrat qui veille à l'application de la loi et requiert l'acquittement ou une peine contre l'accusé

b. celui qui doit être jugé

c. citoyens tirés au sort pour être membres du jury

d. personne sous serment qui rend compte des faits dont elle a connaissance

e. personne qui rédige le procès-verbal des débats

f. personne qui défend le prévenu

g. personne qui fait entrer les témoins et qui présente les pièces à conviction

h. personne plaignante qui est ou qui représente la victime

1. le greffier
2. l'avocat général
3. l'avocat de la défense
4. l'huissier
5. l'accusé
6. le témoin
7. la Partie civile
8. les jurés

397 Nominalisation. Retrouvez le nom ou les noms qui correspondent aux verbes proposés.

Exemple :   interroger : ***un interrogatoire / une interrogation***

a. condamner : ....

b. témoigner : ....

c. délibérer : ....

d. accuser : ....

e. plaider : ....

f. requérir : ....

g. instruire : ....

h. acquitter : ....

398 Déroulement d'un procès. Complétez ce texte à l'aide de : *accusation, délibérations, réquisitoire, instruction, audience, plaidoirie, interrogatoire, verdict, témoignages*.

L'***audience*** est ouverte par le président du tribunal. Après la présentation de l'identité de l'accusé, le greffier lit l'acte **(1)** d'.............. et les résultats d'enquête de police et **(2)** d'.............. Le président procède à **(3)** l'.............. du prévenu. Ensuite, la Cour entend les différents **(4)** .... concernant l'affaire. Puis, l'avocat de la partie civile fait sa **(5)** .... et le procureur son **(6)** .... L'avocat de la défense leur répond en faisant aussi sa plaidoirie. Les jurés, le président et ses assesseurs se retrouvent dans la salle des **(7)** .... pour décider du **(8)** .... Ils votent à bulletin secret. Avant de clore l'audience, le Président annonce la décision du tribunal à l'accusé.

399 Passif. Transformez les verbes au passif en utilisant le conditionnel présent ou passé.

Exemple :   L'assassin a été arrêté. L'assassin ***aurait été arrêté***.

a. Le malfaiteur a été aperçu près de Marseille. Le malfaiteur ....
....

b. Les auteurs du hold-up sont activement recherchés. Les auteurs du hold-up ....
....

c. De nombreux témoins ont été interrogés. De nombreux témoins ....

d. Plusieurs suspects ont été présentés à la victime. Plusieurs suspects ....
....

e. Une automobiliste est accusée d'avoir pris la fuite après avoir renversé un enfant. Une automobiliste .... après avoir renversé un enfant

f. Deux femmes ont été prises à partie par des passants parce qu'elles affichaient clairemen
leurs opinions politiques. Deux femmes .... par des
passants parce qu'elles affichaient clairement leurs opinions politiques.

g. Les deux délinquants sont poursuivis pour vol. Les deux délinquants ....
....

h. Les enfants ont été retrouvés sains et saufs. Les enfants ....
....

400 Cause et conséquence. Notez si les éléments soulignés introduisent la cause (cause
ou la conséquence (cons.).

   Exemple :   Il a été remis en liberté <u>pour avoir aidé la police</u>. *(cause)*

a. Il lui est impossible d'aller au Tribunal <u>sans être certaine de gagner le procès</u>. (   )

b. <u>Étant donné qu'il a avoué</u>, il sera condamné à une lourde peine. (   )

c. Il n'a pas été incarcéré <u>du fait de son grand âge</u>. (   )

d. Les victimes ont été dédommagée <u>en conséquence de quoi elles recevront cent mille euro:
chacune</u>. (   )

e. L'accusé était malade <u>au point de ne pas pouvoir assister à son procès</u>. (   )

f. Le procès a été reporté <u>sous prétexte que les témoins étaient arrivés en retard</u>. (   )

g. Il y avait tant de monde que <u>le juge a ordonné le huit-clos</u>. (   )

h. Les délibérations se sont éternisées <u>faute de consensus</u>. (   )

401 Cause et conséquence. Transformez les phrases suivantes à l'aide de la cause et d
la conséquence (plusieurs réponses possibles).

   Exemple :   La pluie ne s'est pas arrêtée de la nuit. La piscine municipale a débordé.
   La pluie ne s'est pas arrêtée de la nuit si bien que la piscine municipale a débord

a. L'avocate était très belle. Le juge l'a demandée en mariage. ....
....

b. Le fils du pharmacien se droguait. Le stock de médicaments diminuait. ....
....

c. Les douaniers faisaient la grève du zèle. Il y avait des files d'attente aux frontières. ......
....

d. Les pompiers sont arrivés trop tard. Il y a eu trois blessés grave. ....
....

e. Un passant a eu du sang-froid. Un enfant a échappé à un accident. ....
....

f. Le policier a longtemps interrogé le suspect. Il a obtenu des aveux. ....
....

g. Il ne payait plus la pension alimentaire pour ses enfants. Elle l'a attaqué en justice. ......
....

h. Il y a eu un incident au zoo. Il a fermé. ....
....

402 Cause et conséquence. Complétez les phrases suivantes à l'aide des mots introduisant la cause ou la conséquence.

> *Exemple :* **À cause d'**une grève de la Poste, il n'a pas reçu sa convocation au Tribunal. **C'est la raison pour laquelle** il n'a pas pu être présent lors de l'audience.

a. Une automobiliste a provoqué un carambolage sur l'autoroute A10. .... elle était en retard à son travail, la jeune femme avait pris l'autoroute à contresens. Elle a .... été arrêtée et écrouée. L'accident n'a, heureusement, fait aucune victime.

b. Un jeune homme a été contraint d'appeler un taxi .... la police venait de lui enlever tous les points de son permis .... un excès de vitesse.

c. Un malfaiteur a été retrouvé par la police .... il avait perdu son portefeuille au cours d'un hold-up. .... cette interpellation, un gang a été démantelé.

d. Une cabine de téléphérique s'est décrochée dans le massif vosgien .... d'un mauvais entretien. ...., 15 morts et 12 blessés grave.

e. Un homme a porté plainte .... son voisin n'avait pas scié un arbre situé à proximité de sa maison. Le vent avait soufflé .... fort, vendredi, ... l'arbre s'était finalement abattu sur son habitation.

f. Les trois randonneurs qui s'étaient perdus dans les Alpes, l'hiver dernier, avaient été sauvés ....à l'entêtement des sauveteurs. De nombreux moyens avaient été mobilisés. De retour à Paris, ils avaient vendu le reportage de leur mésaventure à un journal à sensation. Le maire du village leur a .... envoyé la facture du sauvetage.

g. Un adolescent a provoqué un gigantesque incendie dans la forêt de Fontainebleau .... un pétard le soir du 14 juillet. Il a pu être sauvé et sera, ..., jugé dans les plus brefs délais.

h. Un enfant de dix ans a été retrouvé sain et sauf après d'intenses recherches. .... avait beaucoup de monde aux Galeries Lafayette .... des fêtes de fin d'année, Mathieu avait échappé à la surveillance de ses parents et s'était réfugié au rayon des jouets. Là, il s'était introduit dans une maison pour enfants et s'était endormi. Les parents, affolés, avaient alerté immédiatement la police mais personne n'avait songé à le chercher à cet emplacement ...... la maison en question était cachée derrière une pile de jouets et que seul un enfant de petite taille pouvait accéder à cet endroit.

E. SPORT

403 Reliez le nom du sportif au sport qu'il pratique.

a. Zinadine Zidane	1. le cyclisme
b. David Douillet	2. le judo
c. Marie-Jo Perec	3. le tennis
d. Olivier Magne	4. la course
e. Amélie Mauresmo	5. le football
f. Alain Prost	6. le patinage
g. Soria Bonali	7. la course automobile
h. Laurent Jalabert	8. rugby

404 Reliez le nom de la compétition au sport que cela concerne.

a. Le Tour de France   1. le tennis
b. Roland Garros   2. l'équitation
c. Tournoi des VI Nations   3. le cyclisme
d. Coupe de l'U.E.F.A.   4. le football
e. Grand Prix de Formule 1   5. le rugby
f. Grand Prix de Chantilly   6. le golf
g. Coupe Davis   7. l'automobile
h. Trophée Lancôme

405 Passif. Faites des phrases à partir des éléments suivants en utilisant le passif.

Exemple :   championnat de France / les Nantais / les Lyonnais / éliminer

Lors du championnat de France, les Nantais ont été éliminés par les Lyonnais

a. hier soir / stade de France / les Anglais / les bleus / battre

→ ....

b. première mêlée / le n° 13 toulousain / un de ses coéquipiers / blesser

→ ....

c. ce week-end / le critérium international / l'Allemand Jens Voigt / remporter

→ ....

d. championnat du Monde de patinage artistique / la médaille d'or / la Japonaise Shizuka
Arakawa / décrocher → ....

....

e. la triple championne du monde / l'agence mondiale antidopage / contrôler positif

→ ....

f. à la quatrième reprise / le champion français en titre des poids moyens / son jeune compa-
triote / détrôner → ....

....

g. la finale de la Coupe du Monde entre la France et le Brésil / la FIFA / reporter à la semaine
prochaine → ....

....

h. à cause d'un faux départ / le nageur australien Ian Thorpe / disqualifier

→ ....

406 Passif. Complétez les réponses en employant un subjonctif présent ou passé à la voix
passive.

Exemple :   – Pensez-vous que les forces de l'ordre aient arrêté les fauteurs de trouble de
la deuxième mi-temps ?

– Non, je crains qu'ils *n'aient pas été arrêtés*.

a. – Regrettez-vous que personne n'ait entraîné vos joueurs pendant votre convalescence ?

– Comme nous avons gagné, cela m'est égal que mes joueurs ....

b. – Votre équipe est en tête du championnat, êtes-vous heureux des bons résultats qu'elle
a obtenus ?

– Évidemment, je suis ravi que de bons résultats ....

c. – Vous avez voulu que notre photographe prenne des photos de vous avec votre équipe ?
– Oui, je tenais beaucoup à ce que des photos ....

d. – Vos joueurs souhaitent que vous changiez d'équipement ?
– En effet, ils seraient ravis et moi aussi que l'équipement ....

e. – Durant la première mi-temps, votre capitaine a été blessé. Avez-vous l'impression que les médecins l'ont soigné correctement ?
– Oui, il semble que Pierre ....

f. – Pensez-vous que vos dirigeants aient déjà signé un contrat avec le joueur vedette de l'équipe du Brésil ?
– Non, je ne crois pas que le contrat ....

g. – Le prochain match a été reporté à une date indéterminée. Avez-vous prévenu vos joueurs ?
– Malheureusement, il semble qu'ils ....

h. Chaque joueur suit un régime très strict. Savez-vous qui a mangé tout notre repas gastronomique ?
– Je ne sais pas, mais je regrette que votre repas ....

407 Écoutez ces extraits de commentaires sportifs et soulignez le sport qu'ils concernent.
Exemple : rugby – <u>football</u> – tennis – golf
a. gymnastique – escrime – patinage – automobile
b. ski – boxe – badminton – volley-ball
c. tennis – natation – judo – basket
d. handball – moto – squash – rugby
e. karaté – cyclisme – automobile – bateaux
f. tennis de table – patinage – golf – hockey sur glace
g. football – boxe – base-ball – voile
h. water-polo – athlétisme – lutte – judo

408 Exprimer le regret. Passif et subjonctif. Transformez les phrases comme dans l'exemple. *Après la défaite de son équipe, un entraîneur parle à ses joueurs dans les vestiaires.*
Exemple : Les joueurs : – Que vouliez-vous qu'on fasse avec les buts ? (garder)
L'entraîneur : – J'aurais aimé ***qu'ils soient mieux gardés***.
a. – avec la défense ? (placer)
– J'aurais aimé ....
b. – avec l'attaque? (contrôler)
– J'aurais souhaité ....
c. – avec les supporteurs ? (canaliser)
– J'aurais voulu ....
d. – avec le ballon? (distribuer)
– J'aurais préféré ....
e. – avec l'arbitre ? (entendre)
– J'aurais aimé ....

f. – avec notre matériel ? (réparer)

– J'aurais souhaité ....

g. – avec nos adversaires ? (marquer)*

– J'aurais voulu ....

h. – avec nos coéquipiers ? (impliquer)

– J'aurais préféré ....

F. Météo

409 **Reliez ces phrases à leur définition.**

a. Il ne pleut pas depuis des semaines, il y a pénurie d'eau.   1. Il fait lourd.

b. Le temps est froid et humide, on ne distingue rien dehors, une sorte de voile blanc nous empêche de voir.

c. Il fait extrêmement chaud.

d. Il fait très froid, il a plu et les routes sont glissantes.

e. Il pleut et il y a un vent très fort.

f. Il pleut, il y a du vent, des éclairs et le tonnerre.

g. Il fait très chaud et le ciel est très sombre.

h. Il pleut des glaçons.

1. Il fait lourd.
2. C'est un orage.
3. Il y a du verglas.
4. C'est la sécheresse.
5. C'est la canicule.
6. Il grêle.
7. C'est une tempête.
8. C'est du brouillard.

410 **Complétez ce bulletin météo à l'aide de :** *anticyclone – rafale – voilé – mistral – façade – normales saisonnières – tonnerre – averses – littoral – décalent – pourtour – giboulées – températures.*

    Exemple :   Une bande **pluvieuse** accompagnée d'un vent fort traverse le pays.

a. Les pluies s'étendent de l'Aquitaine au nord-est. Elles se .... ensuite vers le sud-est du pays en devenant de plus en plus soutenues.

b. Ces .... sont même localement ponctuées de coup de ....

c. L'...................., installé sur la France s'accompagne de remontées d'air plus doux en provenance d'Afrique du nord via la Méditerranée et la Péninsule ibérique.

d. Le vent souffle d'ouest en Manche à 80-90 km/h, il se renforce sur le .... atlantique pour atteindre 60-70 km/h en ....

e. Le .... se renforce à 80 km/h cette nuit et demain matin, avant de baisser vers 60 km/h ensuite.

f. Les .... seront généralement en légère baisse par rapport aux .... avec 10 à 14 °C sur la moitié nord et 13 à 17 °C sur la moitié sud.

g. Le .... méditerranéen bénéficie d'une journée encore agréable sous un ciel qu deviendra de plus en plus ....

h. Sur la .... atlantique, des .... accompagnées de coups de ven atteignant parfois 80 km/h apparaîtront en début d'après-midi.

---

* « Marquer un adversaire » signifie le suivre afin qu'il n'ait pas le ballon ou la balle.

411 Les formes impersonnelles. Reformulez ces phrases en employant les formes impersonnelles.

Exemple : Le soleil fera une apparation dans le sud-ouest.

Il y aura du soleil dans le sud-ouest.

a. La neige tombera sur les Alpes.

→ ....

b. Les températures seront très élevées dans la matinée.

→ ....

c. La pluie tombera toute la nuit dans le nord.

→ ....

d. La grêle peut s'abbattre sur une partie du pays.

→ ....

e. Les nuages risquent d'être menaçants.

→ ....

f. Un vent du nord soufflera.

→ ....

g. Le brouillard va gagner les régions du Centre.

→ ....

h. Des cordes tomberont sur la région parisienne.

→ ....

412 Exprimez l'opposition. Soulignez les expressions utilisées pour marquer l'opposition.

Exemple : Il pleuvra dans le nord <u>alors que</u> le soleil sera éclatant dans le sud du pays.

a. Il fait un temps magnifique. Allez vous promener au lieu d'aller au cinéma.

b. Au nord de la Loire, il pleut souvent et il peut faire très froid, tandis qu'au sud, le climat est plus doux et ensoleillé.

c. Contrairement à d'habitude, il fait beau au nord et gris au sud.

d. Lundi, le thermomètre n'atteindra pas 5 degrés. Par contre, mardi, vous pourrez éteindre le chauffage.

e. Contrairement à ce que le présentateur météo avait annoncé, il n'a pas neigé aujourd'hui.

f. La journée s'annonce printanière sur la majeure partie du pays. En revanche, nous retrouverons un climat hivernal dès demain.

g. Dans cette région, nous sommes mal équipés en cas de neige abondante, à l'inverse des régions alpines ou pyrénnéennes.

h. Ne rangez pas vos parapluies. Au contraire, gardez-les avec vous toute la journée de demain.

413 Exprimez l'opposition. Complétez librement ces phrases comme dans l'exemple.

Exemple : Mon mari déteste la pluie alors que *moi, j'adore ça !*

a. Tu voudrais qu'il fasse toujours beau, tandis que ....

b. Il y avait beaucoup trop de vent, alors nous sommes restés à l'hôtel au lieu de ....
....

c. Il aime la chaleur, par contre ....

d. Vous ne pouvez pas faire de ski aujourd'hui car le bulletin météo annonce des avalanches dans la région. En revanche, ...

e. Contrairement à ce que ....

f. J'ai peur d'attraper des coups de soleil contrairement à ....

g. Le climat est tempéré dans notre pays à l'inverse de ....

h. Je n'ai pas peur de l'orage. Au contraire, ...

Bilan

414 Écoutez ce bulletin météorologique et notez si les affirmations suivantes sont vraies (V) ou fausses (F).

Exemple : Un anticyclone est situé sur le Pacifique. (*F*)

a. Le thermomètre marquera au maximum 12 °C dans le midi de la France. ( )

b. Un vent de nord-ouest soufflera à 60 km/h en rafales près des côtes bretonnes. ( )

c. Nuages et belles éclaircies se partageront le ciel sur le nord et le nord-ouest de la France. ( )

d. De petites chutes de neige tomberont au-dessus de 400 m près des Pyrénées et sur les Alpes. ( )

e. Il y aura de très belles éclaircies après quelques passages nuageux sur le sud-ouest de la France. ( )

f. Aujourd'hui, la température la plus basse sera de 4 °C dans le centre de la France. ( )

g. Des averses parfois orageuses tomberont sur la Provence-Côte d'Azur. ( )

h. Le mistral et la tramontane souffleront à 90 km/h en rafales. ( )

415 Reliez ces titres d'articles à leur rubrique.

a. Attention aux orages !

b. Le Président aurait affirmé ne pas avoir eu connaissance de ce dossier.

c. 3-0 : une vraie victoire.

d. La forte hausse de l'euro est dangereuse.

e. Le suspect est en garde à vue.

f. Un feuilleton attendu.

g. Des embouteillages aux portes de Paris.

h. La réforme des retraites : le grand débat.

1. société
2. sport
3. politique
4. trafic
5. économie
6. météo
7. justice
8. télévision

XI. LITTÉRATURE

A. LIRE

416 Reliez ces actions aux définitions auxquelles elles correspondent.

a. teuilleter
b. parcourir
c. bouquiner
d. emprunter
e. corner
f. lire en diagonale
g. annoter
h. dévorer un roman

1. prendre un livre à la bibliothèque
2. écrire dans la marge
3. replier le coin d'une page pour la retrouver facilement
4. lire rapidement
5. lire avec avidité
6. lire (familier)
7. passer rapidement d'une page à une autre

417 Notez de 1 à 8 toutes les étapes du cheminement éditorial.

a. Le livre est imprimé. ( )
b. Un comité de lecture décide de publier l'ouvrage. ( )
c. Les libraires reçoivent les livres et les installent sur les rayonnages. ( )
d. Le correcteur intervient pour corriger les éventuelles erreurs. ( )
e. L'écrivain envoie son manuscrit à une maison d'édition. ( )
f. Les lecteurs découvrent l'ouvrage. ( )
g. L'écrivain reçoit des droits d'auteurs. ( )
h. L'éditeur se charge des différentes étapes de la fabrication du livre. ( )

418 Complétez les phrases à l'aide des mots proposés : *œuvres, essai, biographie, roman, littéraires, poésie, nouvelle, théâtre, autobiographie.*

   Exemple : Quels sont les genres *littéraires* ?

a. Le .... est une fiction de plus de cent pages.
b. La .... est une fiction de moins de cent pages.
c. L'................. est un livre dans lequel l'auteur écrit ce qu'il pense sur un sujet.
d. La .... est un genre littéraire qui se distingue par l'harmonie des sons et le rythme des mots.
e. Le .... est un genre littéraire qui se présente sous la forme de dialogues entre des personnages.
f. Une .... est un livre qui raconte la vie d'une personne.
g. Dans une ...., l'auteur parle de sa vie.
h. Les écrivains écrivent des .... littéraires.

419 Reliez ces auteurs à l'époque à laquelle ils ont vécu.

a. Chateaubriand
b. Choderlos de Laclos
c. Molière
d. Rabelais
e. Camus
f. Hugo
g. Marguerite Duras
h. Chrétien de Troyes

1. XVIIIe siècle
2. XVIIe siècle
3. XIXe siècle
4. XXe siècle
5. XVIe siècle
6. XIIe siècle

B. LE ROMAN

420 Rayez ce qui ne convient pas.

Exemple : Un roman dont l'action fait référence à l'Histoire s'appelle un roman historique / ~~d'époque~~.

a. Un roman policier s'appelle un poignard / un polar.
b. Un roman facile et vite lu est un roman de gare / de car.
c. Un roman par lettres est un roman lettré / épistolaire.
d. Un roman qui est publié dans une revue en plusieurs épisodes s'appelle un roman feuilleton / épisodique.
e. Un roman très long s'appelle un roman fleuve / en cascade.
f. Une histoire qui paraît dans un journal et qui est accompagnée de photographies s'appelle un roman illustré / roman-photo.
g. Un roman d'amour un peu simple est un roman à l'eau de pluie / à l'eau de rose.
h. Un roman plein d'aventures s'appelle un roman d'aventure / aventurier.

421 Complétez les phrases à l'aide des mots proposés : *héros, héroïne, intrigue, Goncourt, chapitres, couverture, garde, style, paragraphes, dédicace.*

Exemple : Un livre est souvent divisé en **chapitres.**

a. Le personnage principal d'une œuvre de fiction est un .... si c'est un homme ou une .... s'il s'agit d'une femme.
b. Un texte est divisé en ....
c. Le prix littéraire le plus célèbre en France est le prix ....
d. Quand on achète un livre, on lit souvent le résumé qui se trouve sur la quatrième de ....
e. Si on a la chance de pouvoir rencontrer un auteur, on peut lui demander une .... sur un exemplaire de son livre.
f. Une fiction, policière par exemple, s'organise autour d'une ....
g. La qualité d'un auteur tient de son .... autant que des histoires qu'il raconte.
h. Avant le texte, il y a toujours une page de ....

422 Reliez ces œuvres à leur auteur.

a. *L'Éducation sentimentale* ——————
b. *À la recherche du temps perdu*
c. *La Comédie humaine*
d. *Les Lettres persanes*
e. *Mémoires d'une jeune fille rangée*
f. *La Princesse de Clève*
g. *Belle du Seigneur*
h. *Les Noces barbares*

1. Albert Cohen
2. Yann Quéffelec
3. Marcel Proust
4. Madame de Lafayette
5. Honoré de Balzac
6. Gustave Flaubert
7. Simone de Beauvoir
8. Montesquieu

423 Le passé simple. Soulignez dans le texte suivant, les verbes au passé simple.

Quand le père Goriot <u>parut</u> pour la première fois sans être poudré, son hôtesse laissa échapper une exclammation de surprise en apercevant la couleur de ses cheveux : ils étaient d'un gris sale et verdâtre. Sa physionomie que des chagrins secrets avaient insensiblement rendue plus triste de jour en jour, semblait la plus désolée de toutes celles qui garnissaient la table... Quand son trousseau fut usé, il acheta un calicot à quatorze sous l'aune pour remplacer son beau linge. Ses diamants, sa tabatière d'or, sa chaîne, ses bijoux disparurent un à un. Il avait quitté l'habit bleu barbeau, tout son costume cossu, pour porter, été comme hiver, une redingote de drap marron grossier, un gilet en poil de chèvre et un pantalon gris en cuir de laine. Il devint progressivement maigre ; ses mollets tombèrent ; sa figure, bouffie par le contentement d'un bonheur bourgeois, se rida démesurément ; son front se plissa, sa mâchoire se dessina.
(Honoré de Balzac, *Le Père Goriot*, 1834-1835)

424 Le passé simple. Notez les infinitifs des verbes soulignés.

Exemple : Gérard de Nerval <u>naquit</u> en 1808. *naître*

a. Il <u>passa</u> son enfance dans le Valois. ....
b. Il <u>traduisit</u> de nombreuses œuvres de la littérature allemande. ....
c. Il <u>vécut</u> de petits métiers. ....
d. En 1843, il <u>partit</u> en Orient. ....
e. Il <u>fit</u> le récit de son voyage qu'il <u>publia</u> en 1851. ....
f. En 1853, il <u>fut</u> interné dans une clinique psychiatrique. ....
g. Sous l'impulsion du docteur Blanche, il <u>écrivit</u> des récits et des poèmes. ....
h. Il <u>se pendit</u> en 1855 à Paris. ....

 425 Le passé simple. Transformez les verbes proposés au passé simple.

Exemple : aimer : j'*aimai*

a. parler : tu ....
b. manger : il ....
c. étudier : nous ....
d. jeter : vous ....
e. ranger : ils ....
f. aller : j' ....
g. habiter : elle ....
h. passer : elles ....

426 Le passé simple. Complétez les verbes suivants au passé simple.

Exemple : faire : je fi**s**

a. finir : tu fin……

b. partir : il part ……

c. écrire : nous écriv………

d. rire : vous r………

e. voir : ils v………

f. conduire : je conduis………

g. offrir : elle offr………

h. choisir : elles chois………

427 Passé simple et passé composé. Écoutez et cochez ce que vous entendez.

Exemple : 1. ☒ je pus   2. ☐ j'ai pu

a. **1.** ☐ je pris   **2.** ☐ j'ai pris

b. **1.** ☐ je dus   **2.** ☐ j'ai dû

c. **1.** ☐ je voulus   **2.** ☐ j'ai voulu

d. **1.** ☐ j'aperçus   **2.** ☐ j'ai aperçu

e. **1.** ☐ je sus   **2.** ☐ j'ai su

f. **1.** ☐ je dis   **2.** ☐ j'ai dit

g. **1.** ☐ je finis   **2.** ☐ j'ai fini

h. **1.** ☐ je reconnus   **2.** ☐ j'ai reconnu

428 Le passé simple. Complétez le texte suivant à l'aide des verbes proposés au passé simple.

– Que voulez-vous ici, mon enfant ?

Julien (se tourner) **se tourna** vivement, et, frappé du regard si rempli de grâce de madame de Rênal, il **(1)** (oublier) ……………… une partie de sa timidité. Bientôt, étonné de sa beauté, il **(2)** (oublier) ……………… tout, même ce qu'il venait faire. Madame de Rênal avait répété sa question.

Je viens pour être précepteur, madame, lui **(3)** (dire) ………-il enfin, tout honteux de ses larmes qu'il essuyait de son mieux.

Madame de Rênal **(4)** (rester) ……………… interdite, ils étaient fort près l'un de l'autre à se regarder. Julien n'avait jamais vu un être aussi bien vêtu et surtout une femme avec un teint si éblouissant, lui parler d'un air si doux. Madame de Rênal regardait les grosses larmes qui s'étaient arrêtées sur les joues si pâles d'abord et maintenant si roses de ce jeune paysan. Bientôt elle **(5)** (se mettre) ……………… à rire, avec toute la gaieté folle d'une jeune fille, elle se moquait d'elle-même, et ne pouvait se figurer tout son bonheur. Quoi, c'était là ce précepteur qu'elle s'était figuré comme un prêtre sale et mal vêtu, qui viendrait gronder et fouetter ses enfants !

– Quoi, monsieur, lui **(6)** (dire) ………-elle enfin, vous savez le latin ?

Ce mot de monsieur **(7)** (étonner) ……………… si fort Julien qu'il **(8)** (réfléchir) ……………… un instant.

– Oui, madame, dit-il timidement. (…)

(Stendhal, *Le Rouge et le Noir*, 1830)

429 Le passé simple. Écrivez la biographie de Guy de Maupassant au passé simple à partir des indications données.

> Naissance à Fécamp en 1850
> Enfance en Normandie
> Séparation de ses parents en 1862
> Ami de Flaubert
> Apprentissage de l'écriture grâce à Flaubert
> 300 nouvelles et 6 romans
> 18 mois d'internement psychiatrique
> Décès en 1893

Guy de Maupassant naquit à Fécamp en 1850. ....

....

....

....

....

430 Le passé simple et l'imparfait. Transformez ces phrases à l'aide du passé simple, de l'imparfait et du plus-que-parfait.

Exemple : Il dort profondément quand le téléphone sonne.
Il dormait profondément quand le téléphone sonna.

a. Je suis à la terrasse d'un café et j'ai commandé une limonade lorsque je les vois arriver en courant. ....

....

b. Elle découvre une petite place sur laquelle des joueurs de pétanque discutent avec ferveur autour du cochonnet. ....

....

c. Il n'aime pas les gens qui prétendent tout savoir. Après quelques minutes passées à les écouter, il décide de rentrer à l'hôtel et fait appeler un taxi. ....

....

d. La voiture qu'il a louée pour l'occasion tombe en panne dix kilomètres avant Grenoble. Il est furieux et se demande ce qu'il va faire quand une 2CV s'arrête près de lui. ....

....

....

e. C'est une belle journée de printemps. Le soleil a remporté la victoire sur la grisaille. Ménard se réveille tranquillement quand il entend frapper à la porte. Quand il ouvre, il comprend immédiatement que quelque chose de grave vient de se produire. ....

....

....

....

f. Les bandits pénètrent avec fracas dans la salle des coffres. Leurs vêtements leur collent à la peau. La peur les tenaille. Tout à coup, il entendent la sirène de la police et comprennent que tout est perdu. ....

....

....

g. Jamais elles n'ont vu de paysage si fabuleux. La mer se tient devant elles, à perte de vue, et leur signifie qu'elle ne se laisse pas impressionner par deux jeunes filles insolentes. Elles se sentent anéanties devant tant de grandeur. Elles se rendent compte que leur désir de gloire et d'évasion paraît bien dérisoire face à l'immensité et à la permanence des éléments.

....

....

....

....

h. Nous n'avons ni dormi ni mangé depuis près de trois jours. Nous sommes épuisés, affamés et incapables de parler. Nous ne pouvons que marcher d'un pas mécanique. Soudain, un camion de frites apparaît innocemment au coin du chemin. C'est une telle surprise que l'un d'entre nous perd connaissance. ....

....

....

....

431 **Le passé simple et l'imparfait. Complétez-le au passé simple ou à l'imparfait.**
Une famille de hautes horloges à grands balanciers de cuivre (se dresser) ***se dressait*** sur une sorte d'estrade en bois. On aurait dit que, de leurs cadrans, elles *(1)* (surveiller) .... l'usine la plus nécessaire du monde.
Je *(2)* (monter) .... les marches, le cœur battant, ma feuille à la main avec sa phrase minuscule.
Je *(3)* (s'approcher) .... de la première horloge. Son balancier me *(4)* (rassurer) .... Il *(5)* (battre) .... comme d'habitude, vers la gauche, vers la droite, régulièrement. Une ouverture avait été percée dans l'horloge, semblable à une boîte aux lettres. Tout naturellement, je lui *(6)* (confier) .... ma feuille. *(7)* (entendre) .... des grincements d'engrenage, trois notes de carillon. Et la feuille me *(8)* (revenir) ...., avec ma phrase complétée : « Le diplodocus grignote la fleur. » Alors seulement je *(9)* (découvrir) .... la pancarte : HORLOGE DU PRÉSENT.
(Eric Orsenna, *La grammaire est une chanson douce*, Stock, 2002)

432 **Le passé simple et le passé antérieur. Reliez les deux parties de chaque phrase.**

a. Dès qu'elles eurent pris connaissance du document,

b. Il se leva

c. Quand ils eurent fini de dîner

d. Lorsque Pierre se fut installé,

e. Aussitôt que nous fûmes montés,

f. À peine le téléphone eut-il sonné

g. Après que nous eûmes décidé de quitter la région,

h. Quand il eut sauté,

1. mon épouse commença à se faire des amis.

2. le cheval se dirigea vers l'étang.

3. dès que nous fûmes sorties.

4. qu'elle se précipita pour répondre.

5. le serveur leur apporta l'addition sur un plateau d'argent.

6. elles s'évanouirent.

7. le propriétaire frappa à notre porte.

8. il apprit qu'il devait déménager.

433 Le passé antérieur. Conjuguez les verbes suivants au passé antérieur.

Exemple : faire : j'*eus fait*

a. prendre : tu ....
b. aller : elle ....
c. finir : nous ....
d. rentrer : vous ....

e. se reposer : nus ....
f. changer : elle ....
g. découvrir : vous ....
h. s'endormir : ils ....

434 Le passé antérieur et le passé simple. Complétez au passé simple ou au passé antérieur.

Exemple : Quand il (finir) *eut fini* son roman, il le referma et se dirigea vers la véranda.

a. Lorsqu'ils (sortir) ...., Arthur et Stéphanie (aller) .... sur la plage.
b. Après qu'elles (déjeuner) ...., elles (se promener) .... dans la ville.
c. Dès qu'il (raccrocher) .... le téléphone, il (se précipiter) ....
dans le jardin.
d. Aussitôt que nous (se réveiller) ...., les enfants (venir) ....
nous rejoindre.
e. Quand (comprendre) j'........................ le fonctionnement de la machine, je (pouvoir)
.... la mettre en marche.
f. Il (être) .... plus raisonnable de partir la veille mais Frédéric n'avait rien voulu savoir.
g. Dès qu'elle (entendre) .... son bébé pleurer, elle (se rendre) ....
auprès de lui pour le consoler.
h. Aussitôt que la pluie (s'arrêter) ...., elle (partir) .... ramasser des
champignons.

C. LE CONTE

435 Le conte. Complétez les phrases suivantes à l'aide des mots proposés : *fée, charmant, princesse, lieues, marâtre, baguette, ogre, loup, sorcière.*

Exemple : Elle est jeune, belle et souvent en danger : la *princesse*.

a. Il mange les petits enfants : l'.................
b. C'est la méchante belle-mère : la ....
c. Il est jeune, beau. Et il tombe amoureux de l'héroïne : le prince ....
d. Il est rusé et féroce : le grand méchant ....
e. C'est un instrument qui résout tous les problèmes : une .... magique.
f. Elle a des pouvoirs maléfiques : la ....
g. Elle a des pouvoirs magiques pour faire le bien : la ....
h. C'est un moyen de transport rapide : les bottes de sept ....

436 Notez le titre correspondant à ces résumés de contes : *La Belle au Bois dormant, Les Trois Petits Cochons, Le Petit Chaperon rouge, La Chèvre de Monsieur Seguin, Peau d'âne, Blanche-Neige, Cendrillon, Le Petit Poucet*.

a. Des parents trop pauvres veulent abandonner leurs enfants. L'un des enfants sème des petits cailloux sur le sol pour retrouver la maison. ....

b. Une petite fille va rendre visite à sa grand-mère qui est malade. En chemin, elle rencontre le loup. ....

c. À sa naissance, une sorcière jette un sort à une princesse. À ses 16 ans, elle se pique avec une quenouille et s'endort profondément. ....

d. Une jeune princesse se couvre d'une peau de bête pour fuir l'amour de son père. ....

e. Trois frères construisent des maisons pour se protéger du loup. ....

f. Une très belle princesse se réfugie auprès de sept petits hommes pour fuir la jalousie de sa belle-mère. ....

g. Une jeune fille, martyrisée par ses demi-sœurs et sa belle-mère, se rend au bal et séduit le prince. ....

h. Un animal rêve de gambader dans la campagne. Son propriétaire tente de l'en dissuader mais elle se sauve et rencontre le loup. ....

437 Écrivez un conte que vous montrerez à votre professeur. Vous pouvez vous aider des indications proposées.

> Une jeune princesse veut devenir pilote. Son père veut la marier. Elle s'enfuit. Elle rencontre une vieille dame qui l'aide et lui présente un beau jeune homme qui accepte de lui enseigner le pilotage. La princesse et le pilote tombent amoureux l'un de l'autre. Le roi arrive et annonce à sa fille que le pilote est un prince et que c'est lui qu'elle doit épouser. La princesse comprend que la vieille dame avait été chargée par le roi de veiller sur elle.

Il était une fois, ...
....
....
....
....
....
....
....
....
....
....
....
....

Le prince et la princesse vécurent heureux et eurent beaucoup d'enfants.

438 Expressions. *Conte, contes, compte, comte*. Écoutez et cochez le mot que vous entendez.

    Exemple :   **1.** ☐ conte – **2.** ☐ contes – **3.** ☐ compte – **4.** ☒ comte

  a. **1.** ☐ conte – **2.** ☐ contes – **3.** ☐ compte – **4.** ☐ comte

  b. **1.** ☐ conte – **2.** ☐ contes – **3.** ☐ compte – **4.** ☐ comte

  c. **1.** ☐ conte – **2.** ☐ contes – **3.** ☐ compte – **4.** ☐ comte

  d. **1.** ☐ conte – **2.** ☐ contes – **3.** ☐ compte – **4.** ☐ comte

  e. **1.** ☐ conte – **2.** ☐ contes – **3.** ☐ compte – **4.** ☐ comte

  f. **1.** ☐ conte – **2.** ☐ contes – **3.** ☐ compte – **4.** ☐ comte

  g. **1.** ☐ conte – **2.** ☐ contes – **3.** ☐ compte – **4.** ☐ comte

  h. **1.** ☐ conte – **2.** ☐ contes – **3.** ☐ compte – **4.** ☐ comte

D. LA POÉSIE

439 La poésie. Complétez les phrases à l'aide des mots proposés : *rime, vers, hémistiche, strophe, prose, alexandrin, pied, sonnet, quatrain*.

    Exemple :   C'est la sonorité finale : la **rime**.

  a. Un poème sans rime est en ………………

  b. Il correspond à une ligne : le ………………

  c. Il correspond à une syllabe : le ………………

  d. C'est un poème de quatorze vers : ………………

  e. Quatre vers : un ………………

  f. Dans une chanson, il correspond au couplet. Dans un poème c'est une ………………

  g. C'est un vers de douze pieds : un ………………

  h. Les six premières syllabes d'un vers forment un ………………

440 Expressions. Reliez ces expressions contenant le mot *pied* à leur signification.

a. C'est le pied !	1. Il est de mauvaise humeur.
b. Il me casse les pieds.	2. C'est génial !
c. Je l'ai remplacé au pied levé.	3. Il m'a initié.
d. Il s'est levé du mauvais pied.	4. Il m'ennuie.
e. Il a perdu pied.	5. Il a été dépassé par les événements.
f. Il a fait des pieds et des mains.	6. Il a insisté pour obtenir ce qu'il voulait.
g. C'est lui qui m'a mis le pied à l'étrier.	7. Au dernier moment.
h. Il est victime d'une mise à pied.	8. Il a été mis à l'écart momentanément.

441 Homophones. Complétez les phrases à l'aide des mots: *vert, vers, verre(s), ver*.

    Exemple :   J'ai écrit quelques **vers** de poésie.

  a. Il a levé son ………… et a entamé son discours.

  b. Nous aimons beaucoup pêcher mais je déteste les ………… de terre.

  c. Ils sont partis ………… onze heures.

  d. Il est devenu ………… de rage lorsqu'elle lui a annoncé la nouvelle.

  e. Vous préférez des ………… en …………… ou en plastique ?

f. Elle s'est dirigée .... le Nord.

g. Le .... est la couleur de l'espoir.

h. Il y a un .... dans cette pomme.

442 **Soulignez les huit auteurs célèbres pour leurs poèmes.**

Corneille, <u>Baudelaire</u>, Perec, Sand, Verlaine, Céline, Feydeau, Prévert, Rimbaud, Gide, Djian, Collette, Artaud, Queneau, Mallarmé, Tournier, Éluard, Voltaire, Huysmans, Butor, Apollinaire, Pennac, Modiano, Villon, Maupassant

443 **Poésie. Écrivez un poème sur le thème de la mer que vous montrerez à votre professeur. Vous pouvez vous aider des mots proposés :** *bleu, vague, océan, bateau, vent, sable.*

....

....

....

....

....

....

....

....

444 **L'expression du temps. Situez ces phrases à un moment sans rapport avec le présent de la narration.**

Exemple : Aujourd'hui, il a écrit un long poème en prose.

***Ce jour-là**, il a écrit un long poème en prose.*

a. Elles partiront demain. Elles partiront le ....

b. Tu es arrivé hier ? Tu es arrivé la ....

c. Nous reprendrons la route dans trois jours. Nous avons repris la route trois jours ....

....

d. Le mois dernier, j'ai rencontré un ami au Printemps des Poètes. ...., j'avais rencontré un ami au Printemps des Poètes.

e. Il y a dix ans, il était timide et solitaire. ...., il était timide et solitaire.

f. Elle espère les rejoindre après-demain. Elle espérait les rejoindre le ....

g. La semaine dernière, nous avons visité les châteaux de la Loire. .... nous avions visité les châteaux de la Loire.

h. Vous êtes rentrés avant-hier ? Vous étiez rentrés ....

445 **L'expression du temps. Complétez les phrases à l'aide des mots proposés :** *tantôt autrefois, sitôt, sur le champ, naguère, désormais, lors, d'antan, jadis.*

Exemple : ***Autrefois/Jadis/Naguère**, il faisait de longues promenades à bicyclette.*

a. Lorsqu'il entendit cela, il partit ....

b. ...., les princesses devaient épouser des princes.

c. .... du départ du train, il s'aperçut qu'il avait oublié ses bagages sur le quai.

d. Cette femme était étrange : .... elle riait, ... elle pleurait sans que l'on sache très bien pourquoi dans l'un et l'autre cas.

e. ...., les pièces de monnaie étaient en or.

f. Elle prit une décision : ...., elle ne répondrait plus au téléphone.

g. .... la nouvelle annoncée, les invités quittèrent la salle.

h. Le vieil homme racontait des souvenirs ....

E. LE THÉÂTRE

446 **Le théâtre. Complétez les phrases à l'aide des mots proposés :** *didascalie, acte, rôle, dramaturge, réplique, pièce, interprétation, scène, tirade*.

Exemple : C'est un auteur dramatique : un ***dramaturge***.

a. L'équivalent d'un chapitre dans un roman : un ....

b. C'est une sous-partie : une ....

c. C'est une phrase énoncée par l'acteur : une ....

d. Un acteur est évalué sur la qualité de son ....

e. Un acteur joue un ....

f. Une œuvre théâtrale est une .... de théâtre.

g. Une longue suite de phrases dites par un personnage dans une pièce de théâtre s'appelle une ....

h. Indication donnée par l'auteur dramatique aux acteurs sur la manière d'interpréter leur rôle : une ....

447 **Le théâtre. Reliez ces titres de pièces de théâtre à leur auteur.**

a. *Le Barbier de Séville* —————————— 1. Anouilh

b. *Le Jeu de l'Amour et du Hasard* 2. Hugo

c. *Le Cid* 3. Ionesco

d. *La Cantatrice chauve* 4. Giraudoux

e. *Ruy Blas* 5. Beaumarchais

f. *Ondine* 6. Corneille

g. *Antigone* 7. Molière

h. *L'École des femmes* 8. Marivaux

448 **La ponctuation. Complétez les définitions à l'aide des mots proposés :** *virgules, astérisque, guillemets, tirets, exclamation, parenthèses, deux-points, suspension, interrogation*.

Exemple : Il indique une question : le point d'***interrogation***.

a. Ils encadrent une citation : les ....

b. Il s'emploie pour exprimer la surprise, la colère, etc. : le point d'....................

c. Elles servent à énumérer ou à marquer une respiration : les ....

d. Ils précèdent le discours direct, une énumération ou une explication : les ....

e. Ils sont mis à la fin d'une phrase inachevée : les points de ....

f. Dans un dialogue, ils indiquent chacun des interlocuteurs : les ....

g. Elles permettent d'apporter une précision : les ....

h. C'est un petit signe en forme d'étoile qui se place à côté d'un mot pour le signaler : l'...................

449 Ponctuation. Ajoutez la ponctuation dans le texte proposé.

– Aurélie cria-t-il, viens voir

L'Aurélie ne se montrait pas Coindet fut ennuyé d'avoir manqué son entrée. Arrivé à l'autre bout de la cour il cria encore Aurélie Persuadé qu'elle l'avait entendu de sa cuisine il remit sa jument au trot et fit en sens inverse le chemin parcouru Point d'Aurélie Il en fut irrité et tirant toujours sa jument par la bride alla pousser la porte de la cuisine L'Aurélie ne touchait pas terre Saisi Coindet resta quelques secondes immobile la main crispée sur la bride

– Eh ben eh ben murmura-t-il si je m'attendais à celle-là

(Marcel Aymé, *La Table aux crevés*, 1929)

Bilan

450 Complétez ces charades.

(1) Mon premier est un meuble pour dormir : ....
Mon deuxième est une boisson chaude que l'on infuse : ....
Mon troisième est ce que l'on fait quand on s'est trompé : ....
Mon tout est un art scriptural : ....

(2) Mon premier est une boisson chaude que l'on infuse : ....
Mon deuxième est le synonyme du feu dans une maison : ....
Mon tout est un genre littéraire et un spectacle : ....

(3) Mon premier est paternel : ....
Mon deuxième est un récipient que l'on utilise pour mettre de l'eau : ....
Mon troisième est la troisième personne du verbe nager au présent de l'indicatif : ....
Mon tout est un être de fiction : ....

(4) Mon premier signifie « géniteur » : ....
Mon deuxième est un travail de recherche en vue d'obtenir un doctorat : ....
Mon tout sert à apporter une précision : ....

(5) Mon premier n'est pas laid : ....
Mon deuxième est le verbe « marcher » à la première personne du singulier de l'imparfait : ....
Mon tout est un auteur dramatique du 18e siècle : ....

(6) Mon premier est un prénom de conquérant : ....
Mon deuxième est le premier : ....
Mon tout est un vers de douze pieds : ....

INDEX

Les chiffres renvoient aux numéros d'exercices

N° d'éditeur : 10149455 – Février 2008
Imprimé en France par Hérissey - N° 107201